LE **QUÉBÉCOIS**
pour mieux voyager

Crédits
Recherche et rédaction: Pierre Corbeil
Mise à jour et correction: Pierre Daveluy
Éditeur: Pierre Ledoux
Révision additionnelle: Claude-Victor Langlois
Adjoint à l'édition: Ambroise Gabriel

**Conception graphique
et mise en page:** Philippe Thomas
Photographie de la page couverture:
© iStockphoto.com/Roger Asbury

Cet ouvrage a été réalisé sous la direction de Claude Morneau.

Remerciements

Nous reconnaissons l'appui financier du gouvernement du Canada.

Nous tenons également à remercier le gouvernement du Québec – Programme de crédit d'impôt pour l'édition de livres – Gestion SODEC.

Canada   Québec

Guides de voyage Ulysse est membre de l'Association nationale des éditeurs de livres.

Écrivez-nous
Guides de voyage Ulysse
4176, rue Saint-Denis, Montréal (Québec), Canada H2W 2M5, www.guidesulysse.com, texte@ulysse.ca

Les Guides de voyage Ulysse, sarl
127, rue Amelot, 75011 Paris, France, www.guidesulysse.com, voyage@ulysse.ca

Catalogage avant publication de Bibliothèque et Archives nationales du Québec et Bibliothèque et Archives Canada
    Vedette principale au titre:
    Le québécois pour mieux voyager
    6e édition.
    Comprend un index.
    ISBN 978-2-89464-553-6
    1. Français (Langue) - Régionalismes - Québec (Province). 2. Français (Langue) - Vocabulaire et manuels de conversation.
PC3645.Q8Q42 2017   447'.9714   C2016-941822-7

RECYCLÉ
Papier fait à partir
de matériaux recyclés
FSC® C103567

TABLE DES MATIÈRES

Un pic-bois.
© iStockphoto.com/Dopeyden

INTRODUCTION

Ah, la couleur locale... y a qu'ça de vrai! À tout le moins ajoute-t-elle considérablement au plaisir de voyager. Et cette notion vaut même pour les destinations dont l'exotisme naturel n'est pas le plus grand apanage, voire pour celles où l'on parle la même langue que chez soi... quoique avec des accents et des tournures qui évoqueraient plutôt des images d'antipodes. C'est le cas notamment du Québec, le plus vaste territoire francophone à s'être développé à la surface du globe.

D'entrée de jeu, il convient de démythifier le caractère purement folklorique du français québécois, que certaines écoles ont même voulu reléguer au rang de sous-produit «dénaturé» de la langue mère. Il s'agit en effet d'un français à part entière, différent à plus d'un égard, certes, de son homologue européen, tant par certains éléments de son vocabulaire que par sa sonorité particulière, mais tout de même d'un français intégral et intègre. Ainsi la langue de Michel Tremblay, Félix Leclerc et Gabrielle Roy n'est-elle autre que celle de Molière, Brel et Sagan. Ils n'emploient pas forcément les mêmes mots, ils ne construisent pas toujours leurs phrases sur les mêmes modèles, et leurs modes d'expression présentent des divergences indiscutables, aussi bien par leur forme que par leur ton et leur charge affective, mais ils n'en parlent et écrivent pas moins tous le français, un français riche et nuancé, aux résonances par ailleurs de plus en plus universelles.

C'est que, voyez-vous, la langue est vivante, et elle se transforme capricieusement au gré des latitudes. Pour nous en convaincre, rappelons-nous qu'il suffit n'importe où – et même à l'intérieur de l'Hexagone – de parcourir quelques dizaines de kilomètres pour découvrir des mots et des sons parfois fort différents de ceux dont on a l'habitude. À plus forte raison lorsqu'on franchit de plus grandes distances ou qu'on se rend dans d'autres pays de la Francophonie! Et pourtant il s'agit bien toujours de français. Qui osera donc aujourd'hui, à l'aube du XXIe siècle, à l'ère des grandes mouvances internationales et des télécommunications instantanées, prétendre que le «vrai» français est celui de Paris, de Marseille, de Bruxelles, de Genève, de Montréal ou d'ailleurs, et que le reste du monde francophone doit s'y conformer en tous points sous peine d'hérésie?

Les diverses réalités francophones correspondent à autant de cultures solidement implantées de longue date, et aucune d'elles ne s'assimilera jamais complètement à aucune autre. Chacune possède d'ailleurs son histoire propre et évolue à son rythme sous le fait d'influences diverses, tantôt géopolitiques, tantôt socioéconomiques ou autres.

Plutôt que de s'en formaliser, dans un univers où, de toute façon, les règles d'usage évoluent à une vitesse sans précédent et où les mots étrangers se multiplient allègrement dans le parler de tous les jours, pourquoi ne pas simplement élargir son esprit et accueillir à bras ouverts le français d'ailleurs?

Du reste, vous aurez la surprise de constater que le québécois de tous les jours, qu'il s'agisse de la langue du travail, de la langue du tourisme ou de la langue des médias, ne diffère pas tant que ça du français dont vous avez l'habitude. Vos incursions dans le cinéma, la chanson ou la littérature québécoise vous incitent sans doute à croire le contraire, mais vous devez savoir que, par tradition, nos formes d'expression artistique ont presque toujours cherché à servir l'affirmation de notre identité linguistique distincte face au pays de nos ancêtres et à nos innombrables voisins anglophones. En cela, elles présentent volontiers une image exacerbée du peuple québécois, de ses traditions et de son parler. Dans les faits, toutefois, bien rares sont les Québécois dont le langage se limite à un jargon incompréhensible pour l'étranger. Cela dit, il faut aussi savoir que même les plus instruits et les plus cultivés se plaisent régulièrement à parler «à la québécoise» plutôt qu'«à la française». Vous serez donc le plus souvent en présence d'un français «standard» ponctué d'expressions et de termes savoureux que le présent guide vous aidera à mieux déguster.

Quant à vous faire comprendre – ce qui est tout aussi important, sinon plus encore –, vous n'avez vraiment, mais vraiment aucun souci à vous faire. En effet, même s'il est vrai que tous les Québécois ne prennent pas toujours la peine de s'exprimer de la façon la plus soignée qui soit, il reste que leur oreille est parfaitement formée, et ce, dès l'enfance, au «français de France» par la magie du cinéma, de la télévision et de la chanson.

Au bout du compte, on peut tout de même retenir qu'il existe des différences marquées entre le français des deux continents, et c'est précisément dans le but de vous aider à en percer les secrets que ce guide a été conçu. Vous y découvrirez des expressions et des termes utiles, d'autres franchement amusants, et d'autres encore qui vous éviteront malentendus et désagréments. À ce propos, évitez de chercher à vous rendre intéressant en lançant des jurons du genre «tabernacle», que vous auriez pu entendre au cinéma ou ailleurs; outre le fait que vous les prononcerez à n'en point douter de manière risible, vous devez savoir que la majorité des gens n'ont jamais eux-mêmes recours à ces expressions vulgaires et les jugent répréhensibles.

Mais voyons d'abord et avant tout à situer les origines et l'évolution de cette langue québécoise qu'on qualifiait, il n'y a pas si longtemps encore, de «joual» – déformation de «cheval» – pour indiquer un parler inarticulé, inintelligible ou simplement négligé. Voyons enfin à mieux en cerner la prononciation et à en dégager les plus importantes caractéristiques, de façon à vous préparer aussi adéquatement que possible à échanger avec vos cousins d'Amérique.

Mais, avant d'entrer dans le vif du sujet, il importe de souligner quelques points :

Vos dictionnaires sont les nôtres, de sorte que la très grande majorité des mots demeurent fidèles à eux-mêmes des deux côtés de l'océan; ils ont seulement tendance à être prononcés plus ou moins différemment.

DES ARCHAÏSMES DEVENUS DES QUÉBÉCISMES

Plusieurs des mots qui sont employés au quotidien au Québec (et parfois utilisés dans d'autres régions de la Francophonie), et qui ne sont plus usités dans le français de l'Académie, sont en fait des archaïsmes. Nous avons tout simplement conservé ces mots tombés en désuétude en France. Il est donc encore possible d'entendre dans le parler des Québécois des mots comme le verbe «écarter» au sens de «perdre» ou «égarer», l'adjectif «dispendieux» pour «cher», le nom «peignure» pour «coiffure», ou encore l'expression «rapport à» pour «à cause de» ou «parce que».

Les différences en question varient grandement selon les situations (formelles ou informelles), selon le niveau de langue utilisé (familier ou soutenu), de même que selon l'âge et le niveau de scolarité des interlocuteurs.

Quant aux variations régionales, elles se révèlent beaucoup moins importantes qu'en France, et nous n'en ferons que peu de cas, si ce n'est pour vous sensibiliser à certains traits dignes de mention.

UN PEU D'HISTOIRE

La colonisation du Québec par la France remonte au tout début du XVIIe siècle. Or, contrairement à une croyance répandue, les premiers colons de la Nouvelle-France n'étaient nullement un ramassis de désœuvrés et de paysans incultes, mais bien plutôt, et à forte majorité, des artisans et des journaliers alphabétisés venus de milieux urbains, entre autres du Poitou et de la Normandie. Cet état de fait a d'ailleurs de quoi étonner lorsque l'on sait qu'à la même époque, en France, le taux d'analphabétisme se situait aux environs de 80%! Qui plus est, nos colons étaient rompus à une certaine société, et à tout le moins familiers avec le français «central» – langue de l'administration – même s'ils s'exprimaient aussi couramment dans leur dialecte ou patois maternel, dont il existait d'innombrables variétés dans les villages français de l'époque.

Cela dit, au début de la colonie, «*un assez large ensemble de patois et de variétés de français ont dû coexister. Parmi ces patois, ceux qui divergeaient fortement du français au point d'être des obstacles à la communication ont dû… être voués à une extinction rapide. Par contre, les patois qui étaient suffisamment proches du français pour ne pas gêner outre mesure la communication intergroupe ont pu être maintenus par leurs locuteurs*[1].» À ce chapitre, parmi ceux qui semblent avoir le plus marqué le français québécois, il convient de retenir les parlers normands, auxquels on doit de nombreux canadianismes.

Par ailleurs, la nature même de la colonie, dont la structure naissante favorisait les interactions les plus diverses (simple voisinage, transactions commerciales, activités communautaires, unions matrimoniales, etc.) entre colons originaires de différentes régions de France, semble avoir rapidement engendré une cohésion et une convergence peu communes, au point que le Québec eut tôt fait de présenter une langue hautement unifiée, et beaucoup moins variable dans l'espace que le français de l'Hexagone. Or, cette unification, ou normalisation de la langue, survenue dès la fin du XVIIe siècle, s'est apparemment faite dans le sens du français conventionnel, d'abord et avant tout pratiqué par l'élite dirigeante de la colonie, mais aussi, et peut-être surtout, par la plupart des femmes venues s'installer en terre d'Amérique. Il semble en effet que celles-ci, quoique largement minoritaires par rapport aux hommes, aient eu un rôle déterminant à jouer dans l'emprise ultime du français, aussi bien par leurs unions que par l'éducation qu'elles prodiguaient à leurs enfants.

Il n'empêche qu'un certain nombre de termes et de prononciations ont tout de même farouchement résisté à un alignement systématique sur le français normalisé, et relèvent dès lors davantage d'usages régionaux qui ont su s'imposer à l'ensemble du territoire québécois pour subsister jusqu'à nos jours. À ce propos, il faut bien savoir qu'à partir du moment où une population française hétérogène se développe à mille lieues de la métropole française, confrontée à des réalités et à des exigences fort différentes des siennes, il n'y a rien d'étonnant à ce que son parler adopte une orientation tout autre que la sienne. Cela est d'autant plus vrai que les décisions et les choix effectués à l'époque de part et d'autre de l'océan ne voyagent pas très vite, une communication rapide et efficace n'étant appelée à voir le jour que quelque deux siècles plus tard.

Mais d'autres facteurs permettent d'expliquer certaines digressions fondamentales, aux XVIIIe et XIXe siècles, entre le français québécois et le français central, en ce qui a trait notamment aux constructions grammaticales. Ainsi, la Nouvelle-France des premiers jours ne possédait que peu d'écoles et n'avait que très difficilement accès à l'écrit, les livres étant fort rares et les autres formes de textes imprimés (affiches, enseignes, etc.) n'étant guère courantes en milieu rural, où vivaient, ne l'oublions pas, la majorité des colons. Il en résulte que nombre de constructions «intuitives», du genre de celles qu'échafaudent spontanément les enfants lorsqu'ils font leur apprentissage de la langue, ont pu se répandre librement et laisser des traces durables par endroits. Nous sommes alors bien loin des efforts des habitants de l'Île-de-France pour se conformer, le plus souvent bien malgré eux, aux normes d'usage définies par le grammairien Vaugelas, membre de l'Académie française, au milieu du XVIIe siècle: «*Le Bon Usage, c'est la façon de parler de la plus saine partie de la Cour, conformément à la façon d'écrire de la plus saine partie des Auteurs du temps.*»!

Et comment négliger l'apport des langues amérindiennes, dont les tenants, présents au pays bien avant les Français, avaient déjà nommé certains lieux, animaux, plantes et mets? Puis il y a les Anglais, qui n'ont pas tardé à emboîter le pas aux Français en terre canadienne, et dont l'héritage demeure plus que manifeste dans le français qu'on pratique au Québec. En fait, la conquête de la Nouvelle-France par l'Angleterre (1759-1760) a coupé le Québec de la France et du français d'outre-mer, si bien que le Canada français n'a pas directement pris part à l'évolution du français européen pendant près de deux siècles. Deux siècles pendant lesquels le Canada français côtoie la langue anglaise et emprunte volontiers à son vocabulaire commercial et technique. Qui plus est, ses quelque 8,3 millions d'habitants s'en trouvent aujourd'hui entourés de 360 millions d'anglophones, répartis entre les États-Unis et le reste du Canada. C'est dire toute la vigueur de cette langue, survivante de mille tumultes, garante d'un riche passé et fierté – pour ne pas dire «identité» – de tout un peuple qui ne l'échangerait pour rien au monde.

---

1. *Les origines du français québécois*, œuvre collective publiée par R. Mougeon et É. Beniak, Presses de l'Université Laval, 1994.

Le monument à George-Étienne Cartier, sur le mont Royal à Montréal.
© iStockphoto.com/martinedoucet

QUELQUES NOTIONS ESSENTIELLES

PLAÎT-IL ?

Cette section porte sur les particularités sonores qui distinguent le français québécois du français européen dit «standard». Il s'agit donc en quelque sorte d'un guide de prononciation, bien que, dans la mesure où vous n'aurez vous-même nullement à faire l'effort de reproduire ces sons, on puisse davantage parler d'un guide d'écoute. Vous devrez en effet habituer votre oreille à reconnaître les sonorités propres au français de cette partie du monde, sous peine d'avoir parfois l'impression qu'on vous parle en chinois alors qu'il n'en est rien. La tâche vous sera d'ailleurs grandement simplifiée par les repères que nous vous fournissons ici. Prenez donc le temps de vous y attarder ; vos échanges avec les Québécois «pure laine» n'en seront que plus fluides et plus enrichissants.

Par ailleurs, il convient de savoir que le français auquel vous serez vraisemblablement le plus exposé à l'hôtel, au restaurant, dans les boutiques et dans les lieux publics, est un français «correct», c'est-à-dire plus soutenu que familier, de sorte que vous n'aurez généralement aucun mal à comprendre vos vis-à-vis. Sans compter que, en dehors d'un contexte purement familial ou amical, la majorité des Québécois privilégient une élocution passablement soignée, l'idéologie linguistique dominante ayant toujours insisté sur la correction de la langue.

Néanmoins, les indications que nous vous fournissons ici vous seront sans aucun doute précieuses, dans la mesure où notre langue commune ne s'est pas développée de la même façon des deux côtés de l'Atlantique, et où certaines prononciations parfois déroutantes sont solidement ancrées dans les mœurs, même des locuteurs les plus attentionnés. D'autant que les Québécois peuvent facilement passer d'un registre à un autre, soit d'un niveau de langue tendant fortement vers le français «international» en situation formelle à un niveau de langue beaucoup plus familier et spontané en situation informelle.

Les données qui suivent résument brièvement les travaux des linguistes Luc Ostiguy et Claude Tousignant, tels que rapportés dans *Le français québécois, normes et usages* (Guérin universitaire, 1993).

Voyelles caméléons

Parmi les singularités les plus marquantes du français québécois, on retient l'ouverture, dans bon nombre de mots, des voyelles normalement fermées *i*, *u* et *ou*.

Ainsi le *i* a-t-il tendance à glisser vers le [é] (péc pour pic, créme pour crime, légne pour ligne).

Le *u* se métamorphose presque en [eu]; nous l'indiquerons par [œ] (jœpe pour jupe, pœce pour puce, Lœc pour Luc).

Et le *ou* prend volontiers des airs de [au] (saupe pour soupe, faule pour foule, pausse pour pousse).

Quant au *a*, il se fait souvent sourd et grave en fin de mot, et se compare alors en tous points au [o] de «colère» ou «bottine»; nous l'indiquerons par [â] (Canadâ, tabâ).

Toujours en fin de mot, il arrive même au son *è* (-ais,-ait,-aid,-et) de se transformer en [a] (jama pour jamais, parfa pour parfait, bala pour ballet ou balai), une habitude qu'il a d'ailleurs prise dans la région parisienne au XVIIe siècle! Cette même prononciation survient parfois même à l'intérieur d'un mot (marci pour merci).

Une autre caractéristique frappante du parler québécois, celle-là manifeste aussi bien en langue soutenue qu'en langue familière, tient à la distinction claire et nette des voyelles longues par rapport aux brèves (pâte-patte, fête-faites, jeûne-jeune, paume-pomme), alors que cette distinction tend depuis longtemps à disparaître en France.

Par ailleurs, cette insistance à préserver tout leur caractère aux voyelles longues fait parfois qu'on en exagère la prononciation en langue familière, ce qui donne des sons du genre «laouche» pour «lâche», «paousse» pour «passe» et «naège» pour «neige», ou encore, en présence d'un *r* allongeant une simple voyelle brève, «taourd» pour «tard», «riviaére» pour «rivière» et «encaoure» pour «encore».

Un autre qui en voit de toutes les couleurs – en langue strictement familière toutefois –, c'est le *oi*, qui devient tantôt [è] (drète pour droite ou droit, frète pour froid), tantôt [wé] (bwé pour boit, mwé pour moi), [wè] (bwèter pour boiter), [wê] (débwêter pour déboîter), [wâ] (bwâ pour bois), [waê] (bwaête pour boîte). Et pourquoi pas? Louis XIV ne disait-il pas lui-même: «Le rwé, c'est mwé!»? Il semble d'ailleurs avoir fait de nombreux émules par chez nous, que vous ne manquerez sans doute pas de démasquer.

Toujours au chapitre des voyelles, il ne faut pas oublier les nasales *an*, *in*, *on* et *un*, cette dernière n'ayant plus vraiment droit de cité en France depuis plusieurs décennies déjà, de sorte que «brun» se prononce de la même façon que «brin», alors qu'au Québec on les distingue encore nettement. Quant aux autres, sans nous lancer dans des explications d'ordre purement technique, disons simplement qu'elles ont aussi leur personnalité propre chez nous et que vous les remarquerez vraisemblablement au passage.

Et pour en finir – c'est le cas de le dire – avec ces chères voyelles, parlons un peu de leur aptitude à se fusionner les unes aux autres (le fameux «bein» en lieu et place de «bien»), voire à disparaître complètement dans certaines formes d'énoncés où même les consonnes qui les entourent s'envolent en fumée.

Ainsi entendrez-vous, en langue familière, et surtout lorsque le débit en est rapide, «à' maison» pour «à la maison» (l'apostrophe indiquant partout dans ce guide un son fortement prolongé) et «sa' rue» pour «sur la rue», mais aussi des constructions du genre «y' â dit» pour «il lui a dit», «twé' zommes» pour «tous les hommes» ou «c'ta inque une blague» pour «ce n'était rien qu'une blague».

Ces consonnes qui bourdonnent

En écoutant le flot des conversations dans les lieux publics, vous aurez sans doute, comme bien d'autres avant vous, l'impression de vous trouver au milieu d'un essaim d'abeilles fort affairées. Pour peu que vous vous attardiez à la chose, vous découvrirez bientôt que deux consonnes tapageuses, le *t* et le *d*, en portent l'entière responsabilité.

En effet, alors que ces deux comparses se prononcent aujourd'hui de façon tout à fait pointue en Europe, il n'en est strictement rien au Québec, où le *t* devient [ts] et le *d*, [dz] devant les voyelles *i* et *u* de même que devant *y*. Vous entendrez donc, et ce, même en langue soutenue – quoique de façon plus ou moins marquée – « petsi » pour « petit », « peintsurer » pour « peinturer », « dzirect » pour « direct », « dzurable » pour « durable » et « tsype » pour « type », autant de vestiges bien vivants du français parlé dans la région de Nantes au XVIIe siècle.

Le *r* qui roule n'amasse pas mousse

Ah! le *r*! Les variantes de sa prononciation (une douzaine en tout) prennent des noms aussi poétiques que « vélaire », « uvulaire » et « apicale », et elles sont si versatiles qu'elles peuvent danser à tour de rôle dans la bouche d'un même locuteur, voire à l'intérieur d'une même phrase ou d'un même mot. Nous nous contenterons donc d'en dégager quelques généralités.

Montréal est depuis longtemps reconnue pour ses *r* grassement roulés (comme à l'époque des derniers Louis de France), et ce, même si la norme québécoise favorise de plus en plus une variante un tant soit peu gutturale (dite grasseyée), plus proche de la variante internationale.

Le reste du Québec prononce généralement ses *r* de façon plus sèche.

Quant au *r* typiquement français, il ne s'entend que dans la bouche des gens les plus cultivés, et le plus souvent en situation formelle. À l'inverse, ceux qui se soucient moins de leur diction iront jusqu'à prononcer le **r** initial d'un mot comme s'il était précédé d'un **e** (eRcule pour recule, eRgarde pour regarde).

Quand le *l* se donne des ailes

Les pronoms «il(s)» et «elle(s)» font l'objet d'un traitement tout à fait particulier dans le langage populaire, en ce qu'ils perdent carrément leurs consonnes et vont même jusqu'à changer de forme.

Ainsi entendrez-vous **y** pour «il» ou «ils» (y pârt demain/y sont bons), «y'â» pour «il a» (y'â l'intention de venir) et «y'ont» ou «y zont» pour «ils ont» ou «elles ont» (y'ont été bons/y'ont été bonnes/y zont été bons/y zont été bonnes).

Dans le cas du «elle», c'est tantôt au tour du **à** de prendre la relève (à pârt demain/à' l'intention de venir, ou à l'a l'intention de venir), tantôt au tour du **è** (è' bonne/è zont été bonnes).

Et, comme si ce n'était pas assez, il arrive au pronom lui-même de s'évaporer complètement: «Sont bons» pour «Ils sont bons»; «Faut faire çâ» pour «Il faut faire ça». Sans parler des articles «la» et «les» et des prépositions «à», «dans» et «sur», qui en profitent volontiers pour s'escamoter ou se tronquer: «J'suis dans' maison» pour «Je suis dans la maison»; «J'ai de l'eau dins yeux» pour «J'ai de l'eau dans les yeux»; «Mets çâ sa' table» pour «Mets ça sur la table».

Dans la même veine, il arrive souvent aux *l*, et même aux *r* et aux *t* de passer complètement sous silence à l'intérieur d'un mot. Ainsi dit-on volontiers «què'que» ou simplement «quèk» pour «quelque» (Voulez-vous quèk chose?), «quéqu'un» pour «quelqu'un», «mette» pour «mettre» (Veux-tsu mette çâ là?), «r'gade» ou simplement «ga'» pour «regarde» (Ga' comme y'é beau!) et «dwaêt'» pour «doit être».

W

Au chapitre des consonnes, en voilà une qui se prononce au Québec comme en Belgique, soit «ou». Le «vagon» de nos amis français devient ainsi «ouagon».

Muettes bavardes

Une habitude solidement ancrée, et que nous tiendrions de nos ancêtres d'Anjou et de Touraine, fait que, dans un registre peu soigné, on a tendance à prononcer franchement certaines consonnes finales qui n'auraient normalement pas à l'être. C'est le cas, entre autres, de « litte » pour « lit », de « nuitte » pour « nuit », de « potte » pour « pot » et de « boutte » pour « bout ».

> **ET NOS GRANDS-PARENTS DISAIENT…**
>
> Les Québécois d'une époque pas si lointaine avaient leur propre parlure qui les distinguait d'entre tous. Une de leurs merveilles langagières se faisait entendre dans les mots ayant une terminaison en *-eux*, qu'ils prononçaient *-euz*. Ainsi, ils disaient « deuz » au lieu de « deux », « ceuz-là » au lieu de « ceux-là » et tutti quanti. Ah ! le bon vieux temps !

QUAND GRAMMAIRE ET SYNTAXE S'EMMÊLENT

Turlututu « Tsu m'aimes-tsu ? », « Tsu veux-tsu ? », « Tsu y penses-tsu ? », autant d'exemples de cette drôle de façon que nous avons de… radoter, semble-t-il. Alors que le bon usage nous assure qu'une seule mention du pronom suffit amplement à la compréhension de la phrase, il est courant d'entendre cette forme dédoublée. Est-ce par insistance, par politesse ou par poésie ? Nul ne saurait vraiment le dire, si ce n'est qu'il s'agirait d'une déformation du vieux parler normand (« Tu m'aimes-ti ? », « Tu veux-ti ? »…).

C'est d'ailleurs ce qui explique l'élargissement de cet usage à d'autres constructions ne dépendant nullement de la deuxième personne du singulier: «Y parle-tsu?» (Parle-t-il?), «Ça s'peut-tsu?» (Cela se peut-il?), «Ch'peux-tsu?» (Puis-je/Est-ce que je peux?)

Quand j'dis non, c'est non !

À l'inverse, alors que la grammaire courante nous enjoint généralement de signifier nos négations par l'usage du «ne» suivi du «pas» ou du «plus» (Ne faites pas cela. Ne dites plus un mot.), nombreux sont ceux qui, dans le feu de l'action, laissent volontiers tomber le «ne», estimant que le «pas» ou le «plus» suffit à rendre claires leurs intentions (Faites pâs çâ. Fais pu jamais çâ).

À titre d'exemple, vous entendrez «Oublie pâs d'acheter du lait», «Y sont pas venus» ou «On pourrait pu s'en pâsser».

Des questions ?

Pour formuler une question dans la langue populaire, il suffit bien souvent de reprendre l'énoncé d'une simple affirmation en la faisant précéder d'un mot indiquant sans équivoque possible qu'il s'agit bel et bien d'une interrogation: «Pourquoi tsu fais çâ?», «Comment tsu t'appelles?»... Simple et pratique, non?

Il y a aussi les inversions saugrenues du genre «Dis-mwé-lé» pour «Dis-le-moi»; les «que» qui se substituent aux «dont» («La fille que je t'ai parlé» pour «La fille dont je t'ai parlé»); les «re» qui insistent pour introduire certains mots n'ayant nullement besoin de leurs services (rejoindre pour joindre, rentrer pour entrer, revenger pour venger); le remplacement d'office de «devenir» par «venir» («Y'é v'nu toute rouge» pour «Il est devenu tout rouge») et un certain nombre d'autres irrégularités au lointain passé provincial qui ne manqueront pas de vous étonner.

Est-ce un garçon ou une fille ?

Et puisque nous sommes au chapitre de l'étonnement, nous ne saurions conclure sans vous mettre en garde contre la «bisexualité» apparente de certains mots. Il en est ainsi des féminins qu'on affuble du genre masculin (un radio, un tumeur, un interview, un moustiquaire...). Mais force est d'admettre que la tendance se fait **beaucoup** plus insistante dans l'autre sens, héritage matriarcal oblige, au dire de certains. Et voilà que défilent à vos oreilles: une grosse appétit, une grosse accident, une grosse orage, une grande orchestre, la grosse orteil, une belle âge, une autobus, une hôpital, une job, une sandwich, une belle avion, une belle hôtel, de la jute, de la bonne argent, de la belle ouvrage... De quoi en ravir plus d'une !

Bref, compte tenu des innombrables possibilités qu'engendre le mariage de ces différentes particularités propres au français québécois, vous ne risquez guère de vous ennuyer chez nous !

QUELQUES NOTES SUR LA TRANSCRIPTION DES PRONONCIATIONS

Notez que, comme il s'agit avant tout d'un ouvrage pratique, nous n'avons pas fait de distinction comme telle entre anglicismes, archaïsmes, régionalismes et autres «ismes» dont les linguistes se servent pour caractériser les différentes formes du langage. Nous avons plutôt retenu en bloc tous les termes susceptibles de vous surprendre ou de vous dérouter que vous pourriez entendre au cours de votre visite, en en précisant au besoin les variantes et le contexte d'utilisation, tout en insistant, il va sans dire, sur les formes qui s'écartent le plus du français normalisé.

Lorsque la transcription d'une prononciation donnée ne permet pas de reconnaître spontanément le mot dont il s'agit («ga'» pour «regarde», «fla'sher» pour *to flash*), nous vous indiquerons ce mot entre parenthèses, s'il s'agit d'un mot français, ou entre crochets, s'il s'agit d'un mot anglais.

Exemples

bécyk (bicycle)   vélo/bicyclette

pic-bwâ (pic-bois)   pic/pivert

fla'shœrr [flasher]   clignotant

shâ'rrpe [sharp]   brillant/vif d'esprit

MOTS ET EXPRESSIONS BIEN DE CHEZ NOUS

EXPRESSIONS ET MOTS USUELS

Bonjour	Bonjour/Au revoir
Bonswêr	Bonsoir
Bienvenue	Je vous en prie/De rien
Pardon ?	Vous dites ?
S'cuze/S'cuze-mwé	Excuse-moi
S'cuzez/S'cuzez-mwé	Excusez-moi
Bye/Ba bye	Au revoir

Notez que « bonjour » s'emploie aussi bien à l'arrivée qu'au départ.

Notez par ailleurs que « bienvenue » constitue la réponse la plus fréquente à un « merci » :

Voici vos clés.

Merci.

Bienvenue.

Comment tu t'appelles ?	Comment t'appelles-tu ?
Mon nom est Daniel./Mwé, mon nom, cé Daniel.	Je m'appelle Daniel.
Comment ça vâ ?	Comment allez-vous ?/Comment les choses vont-elles ?

Numéro Un./Nom'bœr wann. [Number one]	Je me porte comme un charme.
Comme sur des roulettes.	Tout baigne dans l'huile.
ènéoué [anyway]	quoi qu'il en soit/de toute façon
bein/don(c) bein	bien/beaucoup/très
cou'don(c)	puisque c'est comme ça/dis donc
d'abord	dans ce cas
en tout câs/en twé câs	quoi qu'il en soit
fa que/ça fa que	alors/cela fait que…
mettons/mettons que	disons/disons que
pantoute/pas pantoute	du tout/pas du tout
arrête don	arrête/tu me fais marcher
pis	et/alors/ensuite
pas pire	pas mal
wa'ein/ouain	ouais
Ènéoué, cé comme câ qu'ça s'é passé.	Quoi qu'il en soit, c'est ainsi que ça s'est passé.
Y sont déjâ arrivés, ènéoué.	Ils sont déjà arrivés, de toute façon.

Ça vâ tu bein ?

Selon le contexte, peut avoir différents sens :

Êtes-vous bien ?

Est-ce que vous allez bien ?

Êtes-vous bien sûr d'avoir toute votre tête ?

Est-ce que ça fonctionne bien ?

Est-ce que tout se déroule comme prévu ?

Pis, comment ça va?

Y'en â don(c) bein ! Y'en â don(c) bein, de d'çâ !

Il y en a vraiment beaucoup !

Ce qu'il peut y en avoir !

Qu'est-ce qu'il y en a !

Y'é don(c) bein susceptible !   Ce qu'il peut être susceptible !

Ç't'épouvantable ! Ç't'effrayant/Cé bein effrayant !

Selon le contexte, peut avoir différents sens :

Vous m'en direz tant !

Cela n'a aucun sens !

C'est incroyable !

C'est inacceptable !

C'est révoltant !

Bein cou'don(c)...	Eh bien, puisque c'est comme ça...
Cou'don, é' tu malade ?	Dis donc, es-tu malade ?
Cou'don, è' tu malade ?	Dis donc, est-elle malade ?
Cé pas pire pantoute.	Ce n'est pas mal du tout.
OK, d'abord.	D'accord.
Ch'te l'dzi pâs, d'abord.	Puisque c'est comme ça, je ne te le dis pas.

Où – Où ç'que

Où ç'que cé ?	Où est-ce ?
Où ç'qu'y'é ?	Où est-il ?
Où ç'qu'à lé ?	Où est-elle ?
Où ç'qu'à lé, lâ ?	Où est-elle, maintenant ?

Où ç'qu'y sont ?	**Où sont-ils ?**
Où ç'qu'y'é votre hôtel ?	**Où se trouve votre hôtel ?**
Deyoù ç'que t'é ?	**Où es-tu ?**
D'où ç'que vous venez ?	**D'où venez-vous ?**
D'où ç'que tu d'viens ?	**D'où viens-tu ?**
Où ç'que vous allez, là ?/Où cé que vous allez d'même ?	**Où allez-vous ainsi ?**
Où ç'tu t'en vas, d'même ?	**Où vas-tu comme cela ?**
icitte/icid'ans	**ici**
à drète	**à droite**
tout drète	**tout droit**
en d'sour	**sous/en dessous**
monter en haut	**monter**
descendre en bas	**descendre**

MICHEL TREMBLAY ET LE JOUAL

La polémique créée à la sortie de la pièce *Les Belles-Sœurs* (1968), écrite par Michel Tremblay, s'est poursuivie pendant plusieurs années : la présence d'une langue française aux accents québécois sur les planches ne faisait pas l'unanimité dans le milieu théâtral. Michel Tremblay a dû à maintes reprises défendre l'utilisation qu'il faisait (et qu'il fait toujours aujourd'hui) du québécois, appelé « joual » à l'époque, alors que la plupart des pièces de théâtre étaient françaises.

Ç'tu loin d'icitte ?/Ç'tu proche d'icitte ?	Est-ce loin d'ici ?/Est-ce près d'ici ?
Ché pas sé où.	Je ne sais pas où c'est.
Ch'tu rendu?	Suis-je arrivé?
Y fa don(c) bein frette icid'ans !	Ce qu'il peut faire froid ici ! (à l'intérieur)
Ergade en d'sour de la table.	Regarde sous la table.

Quoi – Qu'essé/Qu'ess

Qu'essé	Qu'est-ce que
Qu'ess-tu veux ?/Qu'essé qu'tu veux ?	Que veux-tu ?
Qu'essé qu'vous voulez ?	Qu'est-ce que vous voulez ?/Que voulez-vous ?
Qu'ess ça veut dire ?/Qu'ess ça veut dire, çâ ?	

Selon le contexte, peut avoir différents sens :

Qu'est-ce que ça signifie ?

Que voulez-vous dire par là ?

Quelle bêtise as-tu donc faite là ?

Mais pourquoi diable me dis-tu ça ?

Cé quoi ces histwêres-là ?	Qu'est-ce que vous me racontez là ?
Cé quoi l'idée ?	À quoi tout cela rime-t-il ?

Comment/Combien – Comment-ç'que

Comment-ç'que cé chez vous ?	Comment est-ce chez vous ?
Comment-ç'qu'y vâ ton frère ?	Comment va ton frère ?

Comment-ç'qu'y était votre guide ?	Comment avez-vous aimé votre guide ?
Comment-ç'qu'y font pour faire çâ ?	Comment s'y prennent-ils pour faire cela ?
Comment-ç'qu'y sont ?	Combien sont-ils ?
Comment ça coûte ?/Comment-ç'que ça coûte ?	Combien cela coûte-t-il ?
Ç'tu cher ?	Est-ce cher ?
Ç'pâs cher.	Ce n'est pas cher.
Ç'pâs donné.	Ce n'est pas donné.
Çé bein cher !	Comme c'est cher !
Çé cher sans bon sans (sens) !	C'est excessivement cher !
Ça coûte les yeux d'la tête !	Ça coûte une fortune !

Quand – Quand çé/Quant' ess

Quand çé qu'on y vâ ? Quant' ess qu'on y vâ ? Quant' ess que çé qu'on y vâ ?	Quand y allons-nous ?/Quand partons-nous ?
T'suite/Tu suite	Tout de suite
Asteure	Maintenant/De nos jours
À matin	Ce matin
En avant-midi	Ce matin
À swêr	Ce soir
D'main swêr	Demain soir
Quel jour qu'on é ?	Quel jour sommes-nous ?
Quelle heure qu'y'é ?	Quelle heure est-il ?
Y'é ts'une heure	Il est une heure/13h
Y'é twâ zeures	Il est trois heures/15h

Y'é sizheures	Il est six heures/18h
Une meunutte, si vous pla	Un instant, s'il vous plaît
'Tends meunutte	Un instant

Est-ce/n'est-ce pas – Ç'tu

Ç'tu loin ?	Est-ce loin ?
Ç'tu assez ?	Est-ce suffisant ?
Ç'tu l'fonne [fun] ?	Est-ce amusant/agréable ?
Ç'tu l'fonne [fun], han !	Ce qu'on s'amuse !
Ç'tu plate, yeinqu'in peu !	Comme c'est navrant/ennuyeux !
Ç'tu au boutte ?	N'est-ce pas formidable ?
C'tu d'même?	Est-ce que c'est comme ça?
Ç't'au boutte !	C'est vraiment formidable !

Ç'tu correk ?/Ç'tu correk comme câ ?

Selon le contexte, peut avoir différents sens :

Est-ce suffisant ?

Le compte est-il bon ?

Cela vous convient-il ?

Sommes-nous d'accord ?...

la réponse étant le plus souvent :

Çé correk/Çé bein correk

Ç'tu câ qu'vous avez d'mandé ?	Est-ce là ce que vous avez demandé ?

Ç'tu assez fort ?/Ç'tu assez fort pour twé, çâ ?

Selon le contexte, peut avoir différents sens :

N'est-ce pas extraordinaire ?

Le volume de la musique est-il suffisamment élevé ?

La teneur en alcool de ton cocktail est-elle suffisante ?

la réponse étant souvent :

Mets-en !

À qui le dis-tu ?

OU (chez les plus jeunes)

Cool !/Çé cool !

Çé bein parfait comme çâ.	Cela me va tout à fait.

Je, tu, il…

chu/ch'	je suis
mwé	moi
mwé avec/mwé' si	moi aussi
mwé itou/mwé' tou	moi aussi
twé	toi
t'sé/t'sé, lâ	tu sais
nous autres/nouzô'te	nous
vous autres/vouzô'te	vous
eux autres/euzô'te	ils/elles
Ch'sé pâs./Ch'é pâs.	Je ne sais pas.
Ch'pas capab/Chu pas capab de…	Je ne suis pas capable/Je suis incapable de…
Là, ch'pu capab	Je ne suis plus capable/Je n'en peux plus

| Ch'pal pâs anglais. | Je ne parle pas l'anglais. |
| Ch'peux-tu avoir/awêr… ?/
Ch'pourrè-tu avoir/awêr… ? | Puis-je avoir… ?/Pourrais-je avoir… ? |

MAIS

Ch'peux-tu à' voir/à' wêr ?/ Ch'pourrè-tu à' voir/à' wêr ?	Puis-je la voir ?/Pourrais-je la voir ?
Ch'comprends pâs ç'que vous dzites.	Je ne comprends pas ce que vous dites.
Ch'comprends !	Tu parles !/À qui le dites-vous ?
M'â t'en faire, mwé, des tartes !	Je vais t'en faire, moi, des tartes !

QUELQUES CHIFFRES

Il arrive très fréquemment que «trois» perde son *r* et «quatre» ses deux lettres finales. Ne vous laissez donc pas dérouter par les approximations du genre «Y'en ava twâ ou kat» pour «Il y en avait trois ou quatre».

Les consonnes finales des chiffres de «cinq» à «neuf» se prononcent le plus souvent normalement devant une voyelle ou en fin de phrase.

Enfin, le nombre «soixante» (et «soixante-dix» par ricochet) présente cette particularité qu'on contracte volontiers ses deux premières syllabes en *s*, ce qui produit un son presque unique, comme dans les exemples à la page suivante.

twâ	trois
vingt-twâ	vingt-trois
trente-twâ	trentre-trois
kat	quatre
vingt-kat	vingt-quatre

trente-kat	trente-quatre
cein fois	cinq fois
vingt-cein cennes	vingt-cinq cents
trente-cein blocs	trente-cinq blocs
si' chaises	six chaises
vingt-si' tableaux	vingt-six tableaux
trente-si' chandelles	trente-six chandelles
sè' piasses	sept piastres (dollars)
dissè' nœuds	dix-sept nœuds
quarante-sè' pages	quarante-sept pages
ne' places	neuf places
diz-ne' lignes	dix-neuf lignes
cinquante-ne' pots	cinquante-neuf pots
s' sante-twâ	soixante-trois
s' sante-kat	soixante-quatre
s' sante-diss/s' sante et diss	soixante-dix
s' sante et onze	soixante-et-onze
s' sante-dissè piasses	soixante-dix-sept piastres

AUTRES EXPRESSIONS ET MOTS SAVOUREUX

adon	hasard
au plus sacrant	au plus vite
broche à foin	sans soin/bancal
brun	marron

POIDS, MESURES, TEMPÉRATURE

Bien que le Québec ait adopté le système métrique depuis 1971, on y entend encore souvent parler d'unités impériales. Ainsi donnera-t-on le plus souvent les distances à parcourir en voiture en kilomètres, alors que les tailles et poids d'une personne seront couramment exprimés en pieds, pouces et livres. Dans la foulée, on pourra aussi bien vous parler de pieds carrés que de verges carrées ou d'acres pour calculer une superficie.

Et que dire des mesures qui sont utilisées en cuisine ? Si la météo est le plus souvent exprimée en degrés Celsius, la température à laquelle on règle nos cuisinières est plutôt donnée en degrés Fahrenheit. Idem pour les mesures de volume, où l'on utilise encore allègrement les tasses, demi-tasses et quarts de tasse plutôt que les millilitres.

coqueron	endroit exigu
cossin (m)	babiole/bibelot
croche	tordu/de travers
écartillé	écarté/écartelé
éfouérer/s'éfouérer	écraser (quelque chose)/s'avachir disgracieusement (sur un divan, par exemple)
garrocher	lancer (propre et figuré)
gorgoton (m)	gorge
oubedon	ou
paqueter	empaqueter/faire ses bagages

peinturer	peindre
pitcher	lancer, jeter
pitoune	jolie fille/bille de bois
présentement	actuellement
robœrr [rubber]	caoutchouc
secousse	durée indéterminée
spotter [to spot]	repérer
starter	commencer/démarrer
supposé	censé
supposément	censément
tataouinage (m)	complication inutile
tchèker [to check]	regarder/vérifier
turluter	chantonner
varger	cogner, frapper (sens propre)/faire grande impression (sens figuré)
wâ'chœrr [washer]	rondelle d'étanchéité
tataouiner/taponner/zigonner	Perdre (ou faire perdre) son temps, manipuler distraitement, tourner en rond, badiner...
ambitionner	Aller au-delà de ce qui est raisonnable ou convenable, exagérer.
Ayoye !	Ça fait mal !/Quelle déclaration percutante !
bécosses	Il peut s'agir aussi bien des « W.-C. » d'un établissement conventionnel (dans un sens très familier) que des « latrines » d'un chalet ou d'un terrain de camping, comme dans « Faut qu'j'aille aux bécosses. »

drabe	S'emploie pour dire « terne » ou « ennuyeux ».
flabœrrga'sté [flabbergasted]	Abasourdi
gosser	S'amuser à travailler le bois au couteau.

MAIS

S'emploie aussi au figuré pour dire «Tourner autour du pot», «S'évertuer ou s'acharner sans succès», «Revenir constamment à la charge», «Perdre son temps à une chose inutile».

venir	Remplace parfois « devenir », comme dans « Y'é v'nu toute rouge. », ou « atteindre l'orgasme », comme dans « É tu venu(e) ? ».
Ça y vâ en grand/en grande !/Ça y vâ par lâ !	On fait les choses en grande !/Ça va vite !
Çé tsiguidou./Toute é tsiguidou.	Ça va très bien./Tout est parfait.
Çé d'valœrr (C'est de valeur).	C'est dommage.
Ç'pâs des farces.	On ne rigole plus.
Ça fait dur.	C'est laid./C'est médiocre.
Ç'pâs vargeux.	Ce n'est pas génial.
Ç'pâs l'yâb.	Ça ne vaut pas grand-chose.
Ç'pâs l'yâb mieux.	Ce n'est guère mieux.
Le yâb é pogné dans' cabane./La chicane é pognée.	On s'engueule ferme là-dedans./Les hostilités sont ouvertes./Ils ont une dispute.
Ç'pâs coulé dans l'béton, leur affaire.	Rien n'est moins sûr./Tout peut encore changer./Ils n'ont peut-être pas tout à fait raison./Ils ne détiennent pas la vérité absolue.
Ça vâ mal à' shoppe.	Ça va mal./Ça ne se passe pas comme prévu.

Ch't'en pâsse un papier !	Tu l'as dit !/On ne rigole plus !
Ch'ter ses choux grâs.	Gaspiller.
Débouler.	Dévaler./Dégringoler.
Y t'leur â déboulé çâ !	Il leur a dit tout ce qu'il avait sur le cœur./Il leur a déballé son sac./Il leur a débité l'information voulue en un rien de temps.
En tsitsi	Beaucoup
En 'rvenir/Er'viens-en !	S'en remettre./Se faire une raison./Cesser de répéter sans cesse la même chose.
États-Unis	Vous entendrez aussi bien « Lé zétâs » que les « Lé s'tâ zunis », et « aux zétâs » que « aux s'tâ zunis », mais aussi « aux Stêîtss » [States].
Prendre une débarque./Pogner une méchante débarque.	Trébucher./Tomber de plus ou moins haut et plus ou moins mal. S'emploie aussi au figuré dans le sens d'« échouer ».
Y'en â en masse./Y'en â pour les fins p'é fous./Y'en â un châr pi une barge.	Il y en a amplement/énormément/plus qu'il n'en faut.
Ça r'garde mal.	Ça s'annonce mal./C'est de mauvais augure./C'est mauvais signe.
Ervoler	Ce mot peut revêtir des sens légèrement différents selon le contexte dans lequel il est employé :
Y'â 'rvolé à terre.	Il a été projeté par terre.
Le sang 'rvolait partout.	Le sang pissait dans tous les sens.
Quant à l'â échappé son verre, ça 'rvolé su mwé.	Quand elle a laissé tomber son verre, son contenu m'a éclaboussé.
Quand la vit' â pèté, ch'te dzi qu'ça 'rvolé !	Quand la vitre s'est brisée, elle a volé en éclats !

Mets-en, ç'pâs d'l'onguent !	Ne te gêne surtout pas pour en mettre !/Sers-moi généreusement./ Appliques-en une bonne couche !
Yeinqu'à wêr, on wé bein !	Il suffit de regarder pour se rendre à l'évidence./C'est l'évidence même !/ Comment peut-on être assez bête pour ne pas voir de quoi il en retourne/ ce qu'il en est vraiment ?
Un m'man' n'é.	À un moment donné./Un de ces quatre matins./En temps et lieu.
Bein wèyons don(c) !	N'exagère tout de même pas !/N'exagérons rien !/Soyons sérieux !/Cela n'a aucun sens !
Y'â toujours bein un boutte !	Il y a tout de même des limites !
Woup' élaï !	Oups !
Frapper l'djack potte [jackpot].	Décrocher le gros lot.

MAIS

On peut dzire que t'âs frappé l'djack potte.	Il semble que tu aies déniché la perle rare. (S'emploie aussi bien pour parler d'un objet que d'un emploi ou d'une personne de l'autre sexe.)

TRUC/BIDULE/MACHIN...

Au Québec, on dit plutôt : T'sé l'affaire, là ? La patente rouge qu'y a une gogosse su'l dessus ? La chose qu'y a des bébelles pi des cossins après ? Une espèce de patente à gosse... Autant de mots fort utiles lorsqu'on ne sait pas nommer les choses comme il se doit...

JURONS ET AUTRES GROSSIÈRETÉS

Loin de nous l'idée de vous inciter à utiliser les mots et expressions qui suivent. Bien au contraire, nous vous déconseillons tout à fait de vous aventurer dans cette voie. Non seulement aurez-vous beaucoup de difficulté à les prononcer d'une manière convaincante et à les employer comme il se doit en contexte, mais vous risquez en outre de froisser la sensibilité de vos interlocuteurs, voire d'offenser certaines personnes, et d'attirer sur vous des regards (ou des pensées) vertement réprobateurs. Bref, vous ne gagnerez les faveurs d'à peu près personne en tenant un tel langage et ne récolterez le plus souvent qu'un triste jugement en échange du mal que vous vous donnerez.

Si nous prenons la peine de les consigner ici, c'est uniquement pour que vous soyez en mesure de les reconnaître dans la bouche de certains de vos vis-à-vis, car ils sont encore très présents par endroits. Bien que quelques-uns d'entre eux soient aujourd'hui plutôt banalisés, il n'en reste pas moins qu'il s'agit, dans tous les cas, de vulgarités, manifestement absentes d'un langage un tant soit peu soigné.

Baptême !	Parfois atténué en « batèche » ou « batêche ».
Câliss (calice) !	Parfois atténué en « câlik », « câline » ou « câline de binne ». Parfois enchaîné à « tabarnak » : « Câliss de tabarnak ! »
Câlisser son camp	Partir.
Câlisser une volée	Donner une raclée.
Calvaire !	Parfois atténué en « calvette », « calvinus » ou « calvénus », et déformé jusqu'à donner « joualvert », qui pourrait aussi vouloir dire « cheval vert » !
Ciboire !/Cibwère !	Parfois atténué en « câlibwère » (mélange de « câliss » et « cibwère »). Parfois précédé de « saint » : « être en saint cibwère. »

Criss (Christ) !	Parfois atténué en « cliss » ou en « crime ».
Crisser un coup de poing.	Donner un coup de poing.
Décrisser	Partir/Prendre la poudre d'escampette.

SACRÉS SACRES !

Au chapitre des jurons, vous noterez la multiplication des références aux objets sacrés et à la religion (« sacrer » signifie d'ailleurs « dire de gros mots », plus particulièrement « vulgariser des mots à caractère sacré »). C'est que la religion a occupé une place centrale au Québec jusque dans les années 1960, le clergé ayant toujours exercé une très forte influence sur toutes les couches de la société. Or, c'est souvent par sentiment de révolte contre les abus de l'Église qu'on s'est mis à désacraliser les objets les plus représentatifs de son autorité.

On dira aussi « dékâlisser », « décrisser » ou « déconcrisser » pour « détruire », « démolir » ou « briser », comme dans « Mon châr est toute dékâlissé/décrissé/déconcrissé », ou, au figuré, « Chu toute dékâlissé/décrissé d'la vie » pour « Je ne suis vraiment pas en forme » ou « Je suis complètement déprimé ».

Foque [fuck] !	Merde !
Foque [fuck] off !	Tant pis !/Au diable !
Foque [fuck] you !	Va te faire enculer !
Foqué [fucked]	Détraqué (personne ou objet).
Maudzi (maudit) !	Parfois atténué en « maudzine » ou « mautadzi ».
Ostie !/'Stie !	Parfois atténué en « esti » et même en « ostination ». Parfois enchaîné à « tabarnak » : « Ostie d'tabarnak ! »
Sacrament !	Parfois précédé de « saint » : « être en saint sacrament. »
Simonac !	Parfois précédé de « saint » : « être en saint simonac. »
Tabarnak (tabernacle) !	Parfois atténué en « tabarnanne », « tabaslak », « tabarnouche » ou « tabarouette ». Parfois précédé de « câliss » : « Câliss de tabarnak ! » Parfois précédé de « ostie » : « Ostie d'tabarnak ! »
Târieu ! Le târieu/La târieuse	Le salaud/La salope
Ta yeule !	Ta gueule !/Tais-toi !
Viarge (Vierge) !	Merde!
Être en baptême, en calvaire, en criss, en tabarnak, etc. Être en bâtard, en beau joualvert, en beau maudzi, en saint sacrament, en târrieu, etc.	Être furieux

On notera par ailleurs que tous ces jurons, sans perdre de leur vulgarité, peuvent être utilisés par simple désir d'emphase, sans la moindre colère ni la moindre connotation négative (souvent bien au contraire): «d'la maudzite bonne bouffe», «une criss de belle fille», «un esti d'bon gârs», «un ostie d'grosse côte», etc.

Réservons enfin la place qui lui revient à cette incontournable substance qui fait apparemment les délices de toutes les mauvaises langues de la terre, d'autant qu'elle entre dans les expressions les plus variées.

D'la marde !	Tant pis !
Maudzite marde !	Comme c'est dommage !/Quelle honte !/Quelle malchance !/Ce que ça peut me faire chier !
T'é plein d'marde !	Ce que tu peux être orgueilleux/prétentieux !
T'é don(c) bein mardeux !	Ce que tu peux être chanceux !
T'é juss un plein de marde !	Tu racontes n'importe quoi !
Çé juss d'la marde !	Il a eu un coup de chance !
Ça vaut pâs d'la marde.	Ça ne vaut rien.
Chu dans marde jusqu'au cou.	J'ai vraiment beaucoup de problèmes./J'ai plus de problèmes que je ne peux en résoudre.
Mange d'la marde !	Mon cul !/Va te faire voir !
Çé l'boutte d'la marde !	On aura tout vu !

Notez par ailleurs que, pour alléger la grossièreté, il arrive qu'on remplace, dans plusieurs de ces expressions, le mot «marde» par «chnoutte».

FAUX COUSINS

Il importe enfin de prendre connaissance d'un certain nombre de mots qui ont aussi bien cours au Québec qu'en Europe, mais qui revêtent parfois des sens complètement différents de part et d'autre de l'océan.

abreuvoir

On n'y mène pas les bêtes, mais les humains, puisqu'il s'agit d'une «fontaine».

achalandé

Nous donnons à ce mot le sens de «très fréquenté» ou «qui a une importante clientèle», et non celui de «bien fourni» ou «offrant un grand nombre d'articles» qu'on lui connaît en Europe.

adonner

Bien que ce mot conserve son sens habituel à la forme pronominale, il revêt aussi une forme impersonnelle dans des expressions telles que :

Ça adonne bein.	Ça tombe bien.
Ça t'adonnes-tu d'y aller aujourd'hui ?	Cela te convient-il si nous y allons aujourd'hui ?
Ça s'adonne qu'y sont pâs venus.	Pour une raison ou une autre, ils ne sont pas venus.

Vous entendrez aussi «Y'é bein d'adon» pour «Il est très serviable».

affaire

Une affaire, chez nous, c'est volontiers une «chose» mal définie.

Çé quoi ç't'affaire-là ?	De quoi s'agit-il ?
Tu parles dins n'affaire !	Quelle histoire !
V'là une bonne affaire de faite.	Voilà une bonne chose de faite.

Ç'pas d'tes affaires.	Cela ne te regarde pas.
Y'ont pâs d'affaire lâ.	Ils/Elles n'ont pas à être là./Ils/Elles ne devraient pas être là.
Ç't'ein n'affaire de rien.	Ce n'est rien./Rien de plus facile./Cela ne me dérange nullement.
Ç't'ein n'affaire de meurtre.	C'est une histoire de meurtre.
Pâs d'affaire !	Il n'en est pas question !

allure

On dira certes «avoir fière allure» et «filer à toute allure», mais vous entendrez aussi des constructions inusitées telles que:

À' pâs d'allure.	Elle n'a aucun jugement./Elle n'a aucun savoir-vivre.
Ça' pâs d'allure.	Cela n'a aucun sens. On dit d'ailleurs également « Ça' pâs d'bon sans (sens) » et « Ça' pâs d'sens ».

application

Bien que nous sachions tout comme vous travailler avec application, il nous arrive aussi d'avoir à:

Faire application (dans un bureau par exemple).	Faire une demande d'emploi.
Remplir une application.	Remplir un formulaire de demande d'emploi.

arracher

On dit très couramment «en arracher» dans le sens de «avoir du mal/de la difficulté».

assez

Vous le connaissiez dans le sens de «suffisamment»; sachez qu'au Québec il signifie aussi «beaucoup/très».

Y'é t'assez beau ton chât !	Ton chat est très beau !
Je l'aime assez, ç'te chanteur-lâ.	J'aime beaucoup ce chanteur.

bâs

S'applique aux bas de nylon, certes, mais aussi aux simples chaussettes. Avis à ces messieurs à qui un commis bien intentionné pourrait en proposer !

bête

«Avoir l'air bête» ne signifie pas «avoir l'air idiot», mais bien «avoir l'air désagréable» ou «avoir l'air fâché». Même s'il est tout à fait possible d'avoir l'air idiot et fâché en même temps !

bloc

Tous les sens courants de ce mot nous sont connus, mais nous leur ajoutons:

« tête »	Avoir un mal de bloc.
« pâté de maisons »	Faire le tour du bloc.
« rue »	Ç't'à deux blocs d'ici.

boisson/breuvage/liqueur

Là où vous diriez «boisson» («Quelle boisson désirez-vous?»), nous disons généralement «breuvage» («Qu'est-ce que vous allez prendre comme breuvage?»).

Nous réservons en effet le mot «boisson» aux «spiritueux» et le remplaçons même parfois par «fort» («Y'ont pâs d'fort icitte»).

Quant à la «liqueur», il s'agit chez nous d'une simple «boisson gazeuse».

bord

Outre ses sens courants, ce mot prend également chez nous ceux de:

«camp»	Êtes-vous d'mon bord? Êtes-vous dans mon camp?
«presque»/«sur le point de»/«près de»	Êt' su'l bord d'arriver. Êt' su'l bord d'êt' malade.
«large»/«poudre d'escampette»	Prendre le bord.

brassière

N'en voulez surtout pas à la pauvre vendeuse qui, après vous avoir fait essayer une jupe ou un chemisier, vous demande si vous avez aussi besoin d'une «brassière». En effet, il ne s'agit pas là d'une façon sournoise de vous dire que vous avez l'air enceinte et que vous devriez songer à préparer votre layette, mais bien d'une simple tentative pour vous vendre un «soutien-gorge»!

bureau

Couramment employé pour désigner une «commode», un «secrétaire», une «table de nuit» et tout autre meuble de rangement ou d'appoint qu'on trouve généralement dans une chambre, comme dans «Vous laisserez vot' clé su'l bureau en sortant».

buvette

Même si ce mot est employé, comme en Europe, pour parler d'un modeste buffet de rafraîchissement, il désigne également une petite «fontaine» pour se désaltérer.

cadre

Ce mot désigne bel et bien toute forme de cadre, mais aussi un « tableau », une « peinture » et toute autre image artistique ou commerciale encadrée ou laminée et accrochée au mur ou destinée à l'être.

caler

Pour tous les Québécois, « caler », c'est:

« enfoncer »/« s'enfoncer »	Caler dans' neige. Caler dans' bwette (boue). Ça cale.
« rabaisser »/« dénigrer »	Caler quelqu'un.
« perdre ses cheveux »	Y cale autant qu'son père.
« ingurgiter goulûment »	Caler une bière.

À ne pas confondre avec « câler » (*to call*), qui signifie « appeler » ou « annoncer ».

Câler un set' cârré.	Annoncer les figures d'un quadrille.
Câler l'orignal.	À la chasse : reproduire le cri de l'orignal. Au figuré : hurler.
Câler malade.	Téléphoner au travail afin de prévenir de son absence pour cause de maladie.
(Se) câler une pizza.	Commander une pizza par téléphone.
(Se) câler un taxi.	Appeler un taxi.

camérâ

Outre la caméra de cinéma ou de télévision, c'est aussi le « caméscope » et le simple « appareil photo ».

chaudière

Le sens qu'on donne le plus souvent à ce mot est celui de «seau».

claque

Au Québec, on ne se contente pas de donner des claques, on donne aussi, nuance, «la claque» au sens de «se donner à fond» (Ch'sé qu't'é capab' de marquer un but; donnes-y à' claque) ou de «s'y mettre sérieusement» (J'ai pâs encore eu l'temps d'entreprendre mon jardin, mais ça s'râ pâs long que j'vâ donner à' claque).

Et si un marchand de chaussures veut vous refiler une paire de «claques», ne sortez surtout pas vos gants de boxe, car il veut seulement vous aider à protéger vos nouvelles pompes en vous vendant des couvre-chaussures.

couvert/couverte

Le mot «couvert» désigne couramment un «couvercle». Le mot «couverte», qui se prononce aussi «couvarte», désigne pour sa part une «couverture».

d'abord

Se traduit fréquemment par «si c'est comme ça», comme dans «J'irai pâs, d'abord».

dactylo (m/f)

Rarement employé pour désigner celui ou celle qui l'utilise, il s'agit chez nous de la «machine à écrire».

débarquer

C'est aussi:

«descendre»   Débarquer de l'autobus.
                               Débarquer de la chaise (sur
                               laquelle on était monté).

« se défaire »/« se déloger »

« quitter »/« abandonner »/« cesser de faire partie de »

Sa chaîne de bécyk â débarqué.

Débarquer d'un conseil d'administration. Débarquer d'une équipe.

déjeuner/dîner/souper

Ne pas oublier qu'il s'agit respectivement du «petit déjeuner», du «déjeuner» et du «dîner», sous peine de manquer d'importants rendez-vous.

écarter

Vous ne saviez sans doute pas que ce verbe pouvait quelque part signifier «perdre» ou «égarer».

J'ai écarté ma mont'.

On s'é t'écartés.

J'ai perdu ma montre.

Nous nous sommes égarés. Au figuré, on dira également « È pâs mal écartée. » dans le sens de « Elle est plutôt perdue » ou « Elle est passablement confuse ».

échapper

Couramment employé seul pour «laisser échapper», comme dans «J'ai échappé mon couteau».

écœurant

Aussi employé au sens de «fabuleux», «extraordinaire», «excellent», comme dans «Un écœurant d'bon show» ou «Ç'te chanteuse-lâ est écœurante».

embarquer

C'est aussi :

« monter » (sur quelque chose ou dans un véhicule)	Embarquer sur une chaise. Embarquer dans l'autobus.
« joindre les rangs »	Embarquer dans' police. Embarquer dans une équipe.
« s'enthousiasmer » : Je lui en ai parlé, mais il ne montre aucun enthousiasme pour la chose.	J'y'en ai parlé, mais y'embarque pâs pantoute.

étudiant

En un mot, «élève», qu'il s'agisse d'un «écolier», d'un «cégépien» (qui fréquente un collège d'enseignement général et professionnel, ou cégep) ou d'un «universitaire».

éventuellement

Dérivé de l'anglais *eventually*, cet adverbe s'utilise dans le sens de «finalement», et non pas «accessoirement» comme en Europe. Une vraie source de malentendus!

Y' vâ lâcher sa djob éventuellement.	Il va finalement laisser tomber son travail.

fournaise

La «fournaise», c'est d'abord et avant tout la chaudière du système de chauffage central. Par extension, on parlera de la «chambre à fournaise» pour désigner la pièce ou la portion de pièce où se trouve la chaudière.

glace

Beaucoup plus qu'une friandise glacée ou une paroi de verre, ce sont des «glaçons» qu'on désire obtenir lorsqu'on demande «de la glace», à moins bien sûr qu'on ne fasse référence à une surface gelée.

guénille

Ce terme revêt chez nous deux sens qu'il ne semble pas avoir ailleurs:

« torchon » : Tout morceau de tissu utilisé pour frotter, nettoyer, laver, etc.	Pâsse-mwé une guénille.
« industrie du vêtement » (en lambeaux ou non) : Elle travaille dans la confection des vêtements.	À travaille dans guénille.

gosses (f)

Il ne s'agit en aucun cas des enfants, bien qu'elles soient essentielles à leur existence, puisqu'il est ici question des «testicules» (aussi appelées «chnolles» ou «balles»). Évitez donc à tout prix les énoncés du genre «Embrasse tes gosses pour moi».

jâser/jâsette

Nous lui donnons couramment son sens vieilli de « causer », « bavarder », comme dans « As-tu l'goût d'jâser ? ». On dira aussi « piquer une jâsette » pour « bavarder un bon coup ».

item

Employé à toutes les sauces, il peut aussi bien s'agir d'un «article» à vendre que d'un «élément» dans une énumération, d'un «poste» dans un bilan, d'un «point» à l'ordre du jour, d'une «rubrique» dans un rapport, d'un «sujet» ou d'une «question».

lumière

Aussi clair que puisse être le sens de ce mot, il importe de savoir qu'il élargit fréquemment son champ de compétence à l'«ampoule électrique» (La lumière est brûlée) et au «feu de circulation» (Tourne à droite à' prochaine lumière).

marche

Lorsqu'on «prend une marche» au Québec, c'est généralement qu'on «fait une promenade à pied».

marquer

Selon le cas, il s'agira aussi de:

«écrire»
Dans sa let', à' pâs marqué où est-ce qu'ê'tait.

Dans sa lettre, elle n'a pas écrit où elle se trouvait.

«inscrire»
As-tu marqué ton nom sa' liss?

As-tu inscrit ton nom sur la liste?

«noter»
J'm'en souviens pu, j'l'ai pâs marqué.

Je ne m'en souviens plus, je ne l'ai pas noté.

masse

En contrepartie de l'expression du Vieux-Continent «Il n'y en a pas des masses», le Québec emploie «en masse» pour dire:

«beaucoup»
Ça glisse en masse.

«suffisamment»
On â en masse de monde comme cé lâ.

misère

On dit très couramment «avoir d'la misère» dans le sens de «avoir du mal/de la difficulté».

mongol

Inutile, pour en trouver, de se rendre dans les steppes de l'Asie centrale, puisqu'il s'agit, au sens propre, d'un «mongolien» (trisomique) et, au figuré, d'un «écervelé», de quelqu'un qui se conduit comme un imbécile ou qui fait simplement le pitre.

occupation

Dans un contexte d'interrogation ou sur un formulaire, on trouve souvent «occupation» pour «profession» ou «métier».

offert

Rappelez-vous que, dans un environnement commercial, ce qui vous est «offert» vous est généralement «proposé» (contre paiement), et non «gracieusement offert».

ordinaire

Vous l'entendrez signifiant « normal/commun » comme vous en avez l'habitude, mais aussi dans le sens de « sans intérêt/ennuyeux/décevant ».

On a pâssé une soirée bein ordinaire.	Nous avons passé une soirée très ennuyeuse.

pamphlet

Le Québec n'a pas de tradition pamphlétaire à proprement parler. Ainsi, lorsque vous entendez le mot «pamphlet», sachez qu'il s'agit pour ainsi dire toujours d'un «dépliant» ou d'une «brochure publicitaire».

pancarte

Beaucoup plus qu'en Europe, ce terme recouvre sans problème les sens les plus variés, de l'«écriteau» à l'«enseigne», en passant par l'«affiche», le «placard» et le «panneau-réclame».

par exemple

Curieusement employé, outre son sens habituel, en remplacement de «par contre», comme dans «J'va t'dzire quelque chose, mais j'veux pâs qu'tu l'répètes par exemple».

parade

Une «parade», chez nous, c'est invariablement un «défilé», quelle qu'en soit la nature, comme dans «La parade du père Noël».

passer

«Pâsse-moi un 20» sonne peut-être comme «Passe-moi le sel», mais sachez que, si vous accédez à la requête de votre interlocuteur, il gardera votre billet de 20 dollars beaucoup plus longtemps que le sel, soit le temps qu'il ait la possibilité ou les moyens de vous rembourser. Dans ce contexte comme dans bien d'autres, «passer» est en effet synonyme de «prêter».

pèter

Outre les sens colorés que vous lui connaissez déjà, nous lui en prêtons quelques-uns de notre cru, tels que:

Être pèté/sauté.	Être excentrique. Dépasser les bornes.
Vâ don(c) pèter dins fleurs !	Va te faire voir ! Va donc voir ailleurs si j'y suis !
On à complètement pèté l'budget.	Nous avons complètement dépassé le budget.

Pèter plus haut que l'trou. N'être qu'un pèteux de broue.	Péter plus haut que son cul./Faire le prétentieux./Chercher à paraître plus que ce que l'on est.
Se pèter a' margoulette.	Se casser la gueule.

piler

Un sens inusité de «piler» au Québec est celui de «marcher sur», comme dans «Pile pâs su'l gâzon».

piton/pitonner/pitonnage

Oubliez les clous, les vis, la montagne et l'alpinisme; un «piton», c'est un «bouton» sur lequel on appuie pour déclencher un mécanisme ou pour faire fonctionner un appareil, comme dans «Pèse su'l piton».

Il en découle que «pitonner», c'est appuyer sur des boutons ou des touches de manière successive, comme dans «Y pâsse son temps à pitonner sur l'ordinateur», cette action en soi pouvant être qualifiée de «pitonnage».

On emploie par ailleurs le mot «piton» dans une expression où les boutons n'ont rien à voir, soit:

Être de bonne heure su'l piton.	Se lever tôt. Être prompt à se mettre au travail.

planche

Entre dans l'expression «À' planche» pour signifier «à fond», comme dans «Si j'veux réussir mon examen, vâ falloir que j'étudie à' planche».

portique

Nous ne lui connaissons guère d'autre définition que celle de «vestibule» ou «hall d'entrée».

position

Position sociale, bien sûr, comme à peu près toutes les autres positions que vous connaissez, mais aussi, de façon plus spécifique:

« poste »/« emploi » J'ai perdu ma position.

« situation »/« posture » : Il est en mauvaise posture. Y'é dans une mauvaise position.

pratique/pratiquer

Une «pratique», c'est d'abord et avant tout une «séance d'entraînement», de sorte que «se pratiquer» veut dire «s'entraîner», «s'exercer». Quant au «coup de pratique», il s'agit conséquemment d'un «coup d'essai».

préservatif

Là où l'idée d'utiliser un «préservatif» vous vient spontanément à l'esprit, nous songeons plutôt au «condom».

Par contre, si l'on vous parle de «préservatif» au restaurant ou à l'épicerie, n'allez pas vous faire d'idées, car il s'agit vraisemblablement d'un «agent de conservation».

râser

Vous n'aurez aucun mal à comprendre que nous prêtions à ce mot le sens de «passer près», aussi bien au sens propre qu'au figuré.

Ch'te dzi qu'ça' râsé !/Ch'te dzi qu'ça' pâssé proche ! Il était moins une !/Un pas de plus et ça y était !/Le projectile l'a raté de bien peu !/Cela a bien failli se produire !

Y'â râsé d'venir. Il a failli venir./Il a presque réussi à se libérer./N'eût été d'un empêchement de dernière minute, il serait venu.

régulier

Vous entendrez ce mot très souvent, surtout dans les commerces les cafés et les restaurants. Dérivé de l'anglais *regular*, sachez qu'il ne signifie pas «avec régularité», mais «standard/de base».

Prendrez-vous un espresso ou un café régulier?	Désirez-vous un espresso ou un café standard?
Y' m'l'a faite payer au tarif régulier.	Il me l'a fait payer au tarif de base.

rejoindre

Comme pour bien d'autres de ses congénères, il suffit de lui retirer son «re» initial pour comprendre ce qu'il veut nous dire:

As-tu réussi à le r'joindre?	As-tu réussi à le joindre?
J'ai bein d'la misère à r'joindre les deux bouts.	J'ai beaucoup de mal à joindre les deux bouts.

rendu

Quand on est «rendu», c'est qu'on est «arrivé» (à destination). Par contre, on dira aussi «Y'é rendu 5 heures» dans le sens de «Comme le temps a filé! Il est déjà 5 heures!».

rentrer

Un autre qui se donne des «r»! En effet, «rentrer», c'est bien souvent tout simplement «entrer», comme dans «J'ai pâs réussi à rentrer dans l'magasin, y'avait trop de monde».

roche

Les lois de la géologie étant les mêmes au Québec que dans le reste de la Francophonie, il n'empêche qu'une « roche » désigne ici un simple caillou.

Mets don(c) tes gougounes, c'est plein d'roches icitte.

Mets tes sandales, il y a plein de cailloux ici.

sauver

Sauver de l'argent, c'est en « économiser ».
Sauver de l'espace ou du temps, c'est en « gagner ».

séraphin

Oubliez les charmants petits anges, et songez plutôt à un vieux pingre.

serrer

Dieu sait pourquoi nous préférons « serrer » les choses plutôt que de les « ranger ». Cela dit, Proust « serrait » lui-même des choses dans sa commode au début du siècle dernier.

suce/sucette/suçon

La « suce », c'est la « sucette » ou la « tétine » de bébé qui, lorsqu'il grandira, préférera sans doute ces friandises sur bâtonnet que vous désignez également du nom de « sucette » alors que nous disons plutôt « suçon », et ce, sans allusion aucune aux ecchymoses provoquées par cette autre forme de « suçon » que notre chérubin recevra beaucoup plus tard de son amoureux ou de son amoureuse (et que nous appelons « sucette ») !

tour

Un « tour », généralement organisé, c'est une « excursion ».

traite

L'inspiration nous vient ici de l'anglais (*to treat*) et de nulle part ailleurs.

Payer la traite à quelqu'un.	**Offrir une tournée.**
Se payer la traite.	**Se faire plaisir.**

tuile

Bien loin du toit, on la retrouve ici par terre! Il s'agit en effet du «carrelage» («marcher sa' tuile») ou de chaque «carreau» individuel qui le compose («Y viennent juss de poser des tuiles dans' leur cuisine»).

ustensiles

Alors qu'il s'agit pour vous des récipients et accessoires servant à faire la cuisine (ustensiles de cuisine), il s'agit pour nous des couverts individuels permettant de la déguster (ustensiles de table, plus précisément couteau, fourchette, cuillère).

vadrouille/moppe

La «vadrouille» québécoise est en fait un «balai à franges», tandis que la «moppe» [mop] n'est autre que la «vadrouille» utilisée pour laver le pont des navires, remplacée par la serpillière dans les demeures européennes.

vente

Lorsqu'un article est affiché ou annoncé «en vente», c'est qu'il est «en solde». Cela dit, vous entendrez aussi «vente de trottoir» (braderie) et «vente de garage», par laquelle un individu ou une famille met en vente toutes sortes d'articles dont il ou elle désire se départir à bon prix, le plus souvent devant l'entrée de son garage.

DES ACADIANISMES DANS LE FRANÇAIS QUÉBÉCOIS

Certains acadianismes, ces mots ou expressions propres au français parlé en Acadie, qu'on identifie aujourd'hui à la Péninsule acadienne, dans le nord-est de la province du Nouveau-Brunswick, peuvent également se retrouver dans le français québécois. Par exemple, dans certaines régions du Québec, il se peut fort bien que vous entendiez le verbe « abrier » pour « couvrir », comme dans « s'abrier avec une couverture », ou encore le verbe « garrocher » pour « lancer », comme dans « se garrocher des boules de neige », ou dans le sens de « se jeter » comme dans « se garrocher sur quelqu'un ».

MOTS INUSITÉS AU QUÉBEC

Tous les termes qui suivent, courants en français européen, n'ont aucune résonance à l'oreille de la très grande majorité des Québécois, ou ne sont du moins que très rarement employés. Nous vous indiquons donc leurs équivalents pour que vous soyez sûr de bien vous faire comprendre.

blatte/cafard	coquerelle
blanchisserie	buanderie
caddie	poussette
droguerie	quincaillerie
encaustique	cire (à parquet/à meuble)

gendarmerie	poste de police
laque	fixatif/spré' nette
P.-V. (procès-verbal)	contravention/tickèt'
pain perdu	pain doré
pastèque	melon d'eau
PCV	frais virés
poncer	sâbler
potiron	citrouille
préservatif	condom
pressing	nettoyeur
PTT	bureau de poste
rutabaga	navet
serpillière	moppe
Chamallow (marque de commerce)	mâshmâlo/guimauve
socquettes	petits bas courts
Sopalin (marque de commerce)	essuie-tout
sparadrap	pla'stœrr [plaster]/diachylon
TTC (toutes taxes comprises)	taxes incluses

POSSIBLEMENT

L'adverbe « possiblement » est courant au Québec, mais peu employé dans le reste de la Francophonie. Disparu depuis longtemps de la langue française, cet adverbe est réapparu au XXe siècle sous l'influence de l'anglais *possibly*. Quand les dictionnaires le mentionnent, ils le décrivent comme un mot rarement usité. On peut facilement le remplacer par « peut-être ».

Le Château Frontenac à Québec.
© iStockphoto.com/Alessandro Lai

AU QUOTIDIEN

LES TRANSPORTS

accotoir/accotwêr	accoudoir
barouetter	brasser/secouer
bazou	tacot
châr	voiture (en général)
congestion	embouteillage
stêïchœn ouâgœnn [station wagon]	voiture familiale
minivanne [minivan]	mini-fourgonnette
vanne [van]	fourgonnette/semi-remorque
pékope [pick-up]	camionnette
kat-par-kat (4X4)	véhicule utilitaire sport (VUS)
quatre-roues	motoquad
troc [truck]	camionnette/camion de livraison/semi-remorque
dix-huit-roues	semi-remorque
pakœdj dî'l [package deal]	forfait
route pavée	route revêtue
chemin de garnotte	chemin de gravier
chemin de gravelle	chemin de gravier
shôrr'tcotte [shortcut]	raccourci
stand de taxis	station de taxis
mappe [map]	carte routière/géographique
flaïyer un taxi	héler un taxi au passage

| On s'é faite barouetter. | Nous avons été secoués. |

MAIS

| Y te l'ont barouetté d'un bord pis d'l'aut'. | Il lui ont fait faire de nombreux détours. |

> **AUTOCAR OU AUTOBUS ?**
>
> « Autobus » s'emploie aussi bien pour désigner un autocar qu'un véhicule de transport urbain, le mot « autocar » n'étant que rarement employé. Par voie de conséquence, « terminus d'autobus » est aussi employé pour désigner une gare routière. On entend aussi fréquemment le diminutif à l'anglaise « boss [bus] », comme dans « prendre le boss ».

Automobile

Quant à l'automobile, elle fait partie de ces industries techniques dont le vocabulaire a longtemps été emprunté directement à l'anglais, au point que beaucoup de gens ne connaissaient même pas les équivalents français des mots servant à en désigner les diverses parties. Et même si de grands efforts ont été faits ces dernières années pour diffuser la terminologie appropriée, on entend encore fréquemment, et prononcés bien à l'anglaise (la forme anglaise se trouvant entre crochets lorsqu'il y a lieu), tous les termes qui suivent.

Notez par ailleurs l'application aux véhicules automobiles de divers termes de navigation (débarquer, embarquer, virer...), le fleuve Saint-Laurent ayant longtemps été la principale voie de transport et de communication de la Nouvelle-France.

bâsses	feux de croisement
brêîke [brake]	frein
brêîke à brâs	frein à main
brêîker [to brake]	freiner
brâs de vitesse	levier de vitesse
bomm'pœrr [bumper]	pare-chocs
cap de roue	enjoliveur/chapeau de roue
chauffer	conduire
chaufferette	système de chauffage
clotche (f) [clutch]	pédale d'embrayage
cramper	braquer ses roues
dash	tableau/planche de bord
débarquer	descendre (d'un véhicule)
dî'frost [defrost]	dégivreur
djack [jack]	cric/vérin
djammé [jammed]	bloqué/immobilisé/congestionné
écarté	perdu
embarquer	monter (dans un véhicule)
exaôss [exhaust]	échappement
fanne (f) [fan]	ventilateur
fiouse (f) [fuse]	fusible
flaïyer	aller vite
fla'sher [to flash]	clignoter
fla'shœrr [flasher]	clignotant
flatte (m) [flat]	crevaison
frapper	happer/renverser/heurter/emboutir

gass'laïne [gas line]	antigel pour conduit d'essence
gâz	essence/accélérateur
gâzeline/gazéline	essence
hazœrrd [hazards]	feux de détresse
hautes	feux de route/phares
houde [hood]	capot
licence	plaque d'immatriculation
licences	enregistrements
millage	kilométrage
minoune	vieux tacot/bagnole
miroir/mirwêr	rétroviseur
mofflœrr [muffler]	pot d'échappement
neutre	point mort
nô pârrkigne [no parking]	stationnement interdit
police (une)	policier, policière
porte	portière
paôwœrr brêïke [power brake]	servofrein
paôwœrr stérigne [power steering]	servodirection
parcomètre	parcmètre
pârrker [to park]	stationner
remorqueuse	dépanneuse
raïte trou [right through]	directement/en ligne droite
scrapper [to scrap]	bousiller
scra'tcher [to scratch]	égratigner
shifter [to shift]	passer les vitesses

skider [to skid]	déraper
slaïyer [to slide]	glisser
spârrk plogue [spark plug]	bougie d'allumage
spê'rr [spare]	pneu de secours
spinner [to spin]	patiner/tournoyer
stâler [to stall]	faire du surplace
stârtœrr [starter]	démarreur
stérigne [steering]	volant
stickœrr [sticker]	autocollant
strètche [stretch]	distance
taïyœrr [tire]	pneu
taïyœrrs [tire] d'été/d'hiver	pneus d'été/d'hiver
tchock absôrbœrr [chock absorber]	amortisseur
taït [tight]	serré
tinque (f) à gaz	réservoir d'essence
tinquer	faire le plein
tô'wer [to tow]	remorquer
tô'wégne [towing]	dépanneuse
trouble	ennui mécanique
valise	coffre
virer/ervirer	tourner
vitte/vitre	glace
winshîld [windshield]	pare-brise
waïpœrr [wiper]	essuie-glace
wanne wé [one-way]	sens unique

Zone de touage/de remorquage	Zone d'enlèvement des véhicules en infraction.
Mets tes hautes/tes bâsses.	Allume tes phares/tes feux de croisement.
Oublie pâs d'brêïker.	N'oublie pas de freiner.
Tu f'ra mieux d'mette le brêïke à brâs.	Tu ferais mieux d'engager le frein à main.

À CHACUN SON ANGLAIS !

Il importe de noter qu'au Québec les emprunts à l'anglais sont le plus souvent prononcés à l'anglaise, et non pas francisés comme le veut la mode européenne. Les seules exceptions véritables à cette règle touchent des mots étroitement dérivés de l'anglais, mais transfigurés par l'usage et depuis longtemps intégrés au parler populaire (smatte pour smart, tinque pour tank). Cela n'a d'ailleurs rien d'étonnant dans la mesure où ces emprunts faciles ont pu être entendus à maintes reprises à la radio ou à la télévision de langue anglaise, de sorte que même un francophone unilingue d'ici sait très bien comment les prononcer, qu'il s'agisse d'un des nombreux termes du domaine de l'automobile, de marques de commerce (Ford – « Fôrrd », Levi's – « Livaïz ») ou de tout autre vocable d'usage courant, entre autres short (qui se prononce « shôrrt ») et cover-girl (qui ne se prononce pas « coveur gueurl » mais « câvoer goerrl »).

Colle-twé pâs trôp su'l bomm'pœrr du châr d'en avant.	Ne colle pas de trop près le pare-chocs de la voiture qui se trouve devant.
On dirait qu'y'â pardu un cap de roue.	Il semble qu'il ait perdu un enjoliveur.
Y chauffe bein mal !	Ce qu'il conduit mal !

MAIS

Vâ falwêr chauffer le châr avant d'partir.	Il va falloir réchauffer la voiture avant de partir.
T'as-tu parti à' chaufferette ?	As-tu fait démarrer le système de chauffage ?
Faut pè'ser sa' clotche avant d'shifter.	Il faut enfoncer la pédale d'embrayage avant de passer la vitesse.
Crampe en masse.	Braque tes roues à fond.
Mets té lunettes su'l dash.	Pose tes verres sur le tableau de bord.

MAIS

Ch'te dzi qu'ça fesse dans l'dash !

Ça ébranle sérieusement ! (en parlant d'une nouvelle)

Ça fait vraiment très mal ! (chocs variés)

Et, dans divers autres contextes, au propre comme au figuré, « cogner », « heurter », « buter », « assommer », etc.

On â embarqué deux pousseux.	Nous avons fait monter deux auto-stoppeurs.
On les â débarqués au coin.	Nous les avons fait descendre de voiture à l'intersection.
Mets l'dî'frost, on wé pu rien !	Actionne le dégivreur, on ne voit plus rien !

Le djack é dans' valise du châr.	Le cric se trouve dans le coffre de la voiture.
T'as-tu bârré ta porte ?	As-tu verrouillé ta portière ?
La porte è djammée bein dur.	La portière est complètement bloquée.
On é resté djammés dans l'traffic.	Nous avons été pris dans la circulation.
Vous vous êtes pâs écartés pantoute ?	Vous ne vous êtes pas égarés du tout ?
Ch'pense qu'on s'é t'écartés.	Je crois que nous nous sommes perdus.
Embarque/Embak dans l'châr.	Monte dans la voiture.
Le tuyau d'exaôss doit être parcé.	Le tuyau d'échappement doit être percé.
Fa don(c) marcher à' fanne, on â chaud.	Fais donc fonctionner le ventilateur, nous avons chaud.
Y dwé y'awêr une fiouse de brûlée.	Un des fusibles doit être grillé.
Ch'te dzi qu'ça flaïyait su l'autoroute !	Laisse-moi te dire que ça roulait très vite sur l'autoroute.
Le swêr, les lumières flashent.	Le soir, les feux de circulation clignotent.
Oublie pâs d'mette té flashœrr.	N'oublie pas de mettre tes clignotants.
On â pogné un flat en sortant du pont.	Nous avons eu une crevaison en sortant du pont.
On â frappé une bwête à lett' sans faire eksiprès.	Nous avons heurté une boîte à lettres sans le faire exprès.
T'as-tu mis du gâz ?	As-tu fais le plein ?
Pèse su'l gâz.	Appuie sur l'accélérateur.

Le gâz é j'lé dans l'tuyau, vâ falwêr mette du gass'laïne.	Le conduit d'essence est gelé, il va falloir mettre de l'antigel.
Pârrke-twé en double, pi mets té hazœrrd.	Stationne-toi en double, et allume tes feux de détresse.
Rouve le hood que ch'tchèke l'huile.	Ouvre le capot pour que je puisse vérifier l'huile.
Ta licence è toute sale.	Ta plaque d'immatriculation est toute sale.
Avez-vous faite bein du millage ?	Avez-vous beaucoup roulé ?
Où ç'que t'âs mis ta minoune ?	Où as-tu mis ta bagnole ?
Ç'toujours bein mieux un châr neu qu'une minoune.	Une voiture neuve vaut toujours bien mieux qu'un vieux tacot.
Je l'wé pu dans mon mirwêr.	Je ne le vois plus dans mon rétroviseur.
Y'â perdu son mofflœrr.	Il a perdu son pot d'échappement.
Mets-twé au neutre, ça vâ moins patsiner.	Passe au point mort, ça va moins patiner.
Ç't'un wanne-wé [one-way].	C'est un sens unique.
La remorqueuse é pâs encore arrivée.	La dépanneuse n'est pas encore arrivée.
Ça y vâ raïte trou.	Ça passe en ligne droite.
Y va scraper son châr.	Il va complètement bousiller sa voiture.
Y'â quelqu'un qu'y'â toute scrat'tché sa peinture.	Quelqu'un a égratigné sa peinture.
Ça skide en masse.	On dérape facilement.
Ça slaïye au boutte.	Ça glisse énormément.
Ça va êt' le temps d'changer é spârrk plogues.	Il va falloir songer à remplacer les bougies d'allumage.
Où ç'que t'â mis ton spê'rr ?	Où as-tu mis ton pneu de secours ?

Ça spinne pâs mal.	Ça patine passablement.
On é stâlé ent' deux camions.	Nous sommes coincés entre deux camions. (« Stâlé » s'emploie aussi dans un sens large pour dire d'une personne ou d'une chose qu'elle ne bouge plus, qu'elle n'avance plus, qu'elle est immobilisée ou bloquée.)
Le stârrtœr est mort.	Le démarreur est fini.
Ça conduit pâs mal mieux avec un paôwœrr stérigne.	Ça conduit beaucoup mieux avec une servodirection.
Y'â plein d'stickœrrs su son bomm'pœrr.	Il y a beaucoup d'autocollants sur son pare-chocs.
Tchèke dé deux bords avant d'passer.	Regarde des deux côtés avant de passer.
On' n'â faite une bonne strètche.	Nous avons déjà parcouru une bonne distance.

MAIS

On dira aussi « une strètche » de motels, de magasins ou de toute autre chose pouvant se présenter en série, en rangée ou en succession.

Y commence à faire frette, vâ falwêr que j'mette mé taïyœrrs d'hiver.	Il commence à faire froid, il va falloir que je monte mes pneus d'hiver.
Ça pâsse bein taïte.	Ça passe très serré.
Té tchocks sont finis.	Tes amortisseurs sont finis.
Y'â fallu tinquer en ch'min.	Nous avons dû faire le plein en cours de route.
La tinque é bein pleine.	Le réservoir est bien plein.
On â été obligé de s'faire tô'wer.	Nous avons dû faire remorquer la voiture.

Le tô'wégne é t'arrivé di meunuttes plus târd.	La dépanneuse est arrivée dix minutes plus tard.
On â eu un troub'.	Nous avons eu un ennui mécanique.
Vire/Ervire à gauche a' lumière.	Tourne à gauche au feu de circulation.
Baisse ta vitte.	Descends ta glace.
Le winshîld é toute sale.	Le pare-brise est tout sale.
Fais aller té waïpœrrs.	Fais fonctionner tes essuie-glace.
Tasses-twé !	Range-toi !/Laisse-moi passer !
On é rendus.	Nous sommes arrivés.
Y faisait nwêr comme su'l'yâb/ comme chez l'loup.	Il faisait nuit noire.
Pâsser sa' rouge.	Griller un feu rouge.
Une police/Un châr de police	Une voiture de police
Monte z'y tes licences.	Montre-lui ton permis/tes enregistrements/tes papiers d'immatriculation.
Souffler dans' baloune.	Souffler dans l'ivressomètre./Passer l'alcootest.
Pogner un tickèt'.	Attraper une contravention.
scouîdgî [squeegee]	Jeune punk s'offrant, à une intersection, à nettoyer votre pare-brise contre un peu d'argent tandis que vous attendez le passage au vert. Malgré leur allure souvent rébarbative, ces jeunes de la rue ne sont en général nullement dangereux.

INDICATIONS

bas de la ville	centre-ville
bloc	pâté de maisons
coin	angle
lumière	feu de circulation
la Mêïnne [Main]	rue principale
pancarte	enseigne/affiche/écriteau/panneau
Faites le tour du bloc.	Faites le tour du pâté de maisons.
Ç'ta deux coins d'rue d'ici./Ç'ta deux blocs d'icitte.	C'est à deux rues d'ici.
Au coin de Sainte-Catherine.	À l'angle de la rue Sainte-Catherine.
Vous allez trouver çâ sa' Mêïnne.	Vous allez trouver ça dans la rue principale.
Tourne à drwète a' lumière/aux lumières.	Tourne à droite au(x) feu(x) de circulation.
À' prochaine lumière rouge, continue tout drette.	Au prochain feu de circulation, continue tout droit.
Çé marqué sa' pancarte.	C'est écrit sur le panneau.
Vous êtes kèzman rendu.	Vous êtes presque arrivé./Vous y êtes presque.
Demandez à l'information.	Demandez au comptoir d'information. (Notez que, partout en Amérique, sur les routes comme dans les édifices, on indique l'emplacement des comptoirs d'information, non pas par un « i » comme en Europe, mais bien par un point d'interrogation.)

LA SANTÉ

brûlements d'estomac	brûlures d'estomac
clinique	clinique médicale
diachylon	sparadrap
docteur	médecin
fièvre des foins	rhume des foins
mal de bloc	mal de tête
picotte	varicelle
pla'stœrr [plaster]	sparadrap
poque (f)	ecchymose
prescription	ordonnance

J'ai un bon stoffe contre les brûlements d'estomac.	J'ai un bon remède contre les brûlures d'estomac.
T'âs une poque dans l'front.	Tu as une ecchymose sur le front.
Cé juss une titte coupure, on vâ te mette un diachylon/un pla'stœrr là-dessus, pi ça vâ guérir tout seul.	Ce n'est qu'une petite coupure, on va te mettre un sparadrap et ça va guérir tout seul.
J'ai pâs encore vu l'docteur.	Je n'ai pas encore vu le médecin.
Cé à' fièv' des foins qui me 'rpogne.	Me revoilà aux prises avec le rhume des foins.
J'me su réveillé avec un méchant mal de bloc.	Je me suis réveillé avec un sérieux mal de tête.
Té p'tsis ont-tu eu à' picotte ?	Tes enfants ont-ils eu la varicelle ?
Vâ falloir que tu r'nouvelles ta prescription.	Il va falloir que tu fasses renouveler ton ordonnance.

L'ARGENT

antidater un chèque	postdater un chèque
balance	solde
bill	billet
piasse (piastre)/huard	dollar
un brun	un billet de 100$
un trente sous	une pièce de 25¢
un vingt-cein cennes	une pièce de 25¢
un dzi cennes	une pièce de 10¢
un cein cennes	une pièce de 5¢
une cenne	une pièce de 1¢
bidous (des)	argent/billets/dollars
cash	liquide/argent (comptant)
change	monnaie
charger	demander un prix
flô'ber	dépenser à tort et à travers
gratteux	avare/économe
ménager	faire des économies
passer	prêter
séraphin	avare/pingre
tchèque	chèque
tsip	pourboire
tsiper	laisser un pourboire

TPS

Taxe sur les produits et services. Taxe de vente fédérale qui s'ajoute au prix de vente de la majorité des articles proposés dans les commerces.

TVQ

Taxe de vente du Québec. Taxe de vente provinciale qui s'ajoute au prix de vente d'un article auquel on a déjà appliqué la TPS (le cas échéant).

DE L'ORIGINE DE LA «PIASSE»

Ancienne unité monétaire de nombreux pays, la piastre, prononcée «piasse» en français québécois, est encore aujourd'hui l'unité divisionnaire de la livre libanaise, égyptienne et syrienne. Une «piasse» pour les Québécois, c'est un dollar canadien. Et pour les Cajuns de la Louisiane, c'est le dollar américain. Cette appellation découle d'un usage ancien selon lequel on traduisait les devises nommées «dollar» en anglais par «piastre» (à l'époque, la piastre du Québec valait 120 sous).

T'as-tu un bill de 10 ?	As-tu un billet de 10 dollars ?
Tu m'pâsses-tu un 5 ?	Me prêtes-tu 5 dollars ?
Auriez-vous du change pour un 20 ?	Pourriez-vous me faire de la monnaie sur un billet de 20 dollars ?

Changer kat trente sous pour une piasse

Expression figurée signifiant que, dans une transaction quelconque, on ne gagne rien au change. (Pour la petite histoire, mentionnons que, sous le Régime français, la piastre canadienne valait généralement 120 sous, de sorte qu'un quart de piastre correspondait à 30 sous et que cette façon de dire est restée même après le remplacement de la piastre par le dollar, pour sa part divisé en 100 cents. Ainsi, 30 sous valent aujourd'hui 25 cents.)

J'y é faite un tchèque antidaté.	Je lui ai remis un chèque postdaté.
Comment qu'y vous ont chargé ?	Quel prix vous ont-ils demandé ?
Cé dé bidous çâ, monsieur !	C'est de l'argent ça, monsieur !
Y t'resse-tu du cash ?	Te reste-t-il du liquide ?
Allez-vous payer cash ?	Allez-vous payer comptant ?
Ça vaut pâs cein cennes.	Ça ne vaut pas cinq sous (ça ne vaut rien du tout).
Y'arrête pas d'flô'ber toute son cash.	Il ne cesse de dépenser son argent à tort et à travers.
On essaye de ménager l'plus qu'on peut.	Nous nous efforçons d'économiser autant que possible.
Ça s'peut-tu être gratteux d'même !	Comment peut-on être aussi avare/ économe ?

MAIS

On vâ-tu s'acheter un gratteux ?	Est-ce qu'on va s'acheter un billet de loterie instantanée ?
Y'é tu séraphin yeinqu'in peu !	Quel avare !
Laissez-y un bon tsip.	Laissez-lui un bon pourboire.
Ça tsipe tu pâs mal par chez vous ?	Les gens de par chez vous donnent-ils de gros pourboires ? (Notez que, dans tous les restaurants du Québec où le service se fait aux tables, il est impératif de laisser un pourboire correspondant à environ 15% du total de l'addition avant les taxes.)

POSTE ET TÉLÉPHONE

malle	courrier
boîte à malle	boîte aux lettres

maller	poster
signaler	composer
engagé	occupé
hôlde [hold]	mise en attente
rejoindre	joindre
longue-distance	appel interurbain
charges renversées	frais virés/PCV
twisté [twisted]	entortillé
cell	téléphone portable
La malle es-tu passée ?	A-t-on livré le courrier ?/Le facteur est-il passé ?
Mon tchèque devrait êt' dans' malle.	Mon chèque devrait avoir été posté.
Donne-mwé ta lettre, j'vâ aller à' maller.	Donne-moi ta lettre pour que j'aille la mettre à la poste.
Donnez-moi vot' numéro, j'va l'signaler pour vous.	Donnez-moi votre numéro, je vais le composer pour vous.
Ç'toujours engagé./La ligne est toujours engagée.	La ligne est toujours occupée.
Y m'ont mis su' le hôlde.	On m'a mis en attente.
Vous pouvez me r'joindre le matin.	Vous pouvez me joindre le matin.
J'ai pâs réussi à le r'joindre.	Je n'ai pas réussi à le joindre.
D'ici à Québec, c't'un longue-distance.	D'ici à Québec, il s'agit d'un appel interurbain.
J'aimerais mieux qu'vous appeliez à charges renversées.	J'aimerais mieux que vous appeliez à frais virés.
Le fil du téléphone est toute twisté.	Le fil du téléphone est complètement entortillé.
T'â yeinqu' à appeler le 411.	Tu n'as qu'à t'adresser aux renseignements.

L'ÉLECTRICITÉ

adapteur	adaptateur
extension	rallonge électrique
fil	cordon électrique
jus	courant
lumière	ampoule
plogue (f)	prise de courant/fiche
ploguer	brancher
switch (f)	interrupteur

Y'm'faudrait un adapteur pour mon séchoir.	Il me faudrait un adaptateur pour mon sèche-cheveux.
Le fil é pâs assez long, y va m'falloir une extension.	Le cordon n'est pas assez long, je vais avoir besoin d'une rallonge électrique.
Y'à pu d'jus.	Il n'y a plus de courant.
La lumière d'wêt' brûlée.	L'ampoule doit être grillée.
Où ç'que tu vas ploguer ton ordinateur ?	Où vas-tu brancher ton ordinateur ?
Le fil rente pâs dans' plogue.	La fiche n'entre pas dans la prise.

CLIMAT

bordée de neige	forte chute de neige
caler dans' bwette	s'enfoncer dans la boue
caler dans' neige	s'enfoncer dans la neige
capot d'pwèle	manteau de fourrure
cass de pwèle	chapeau de fourrure

déhors/dewâors/dwâors	dehors/à l'extérieur
draff [draft]	coup de vent/courant d'air
frette	froid
frosté	givré
geler	avoir froid
mouiller	pleuvoir
pogné dans' neige	pris dans la neige
poudrerie	neige chassée par le vent
renfoncer	s'enfoncer
tempête de neige	importante chute de neige
On â pogné une méchante draff [draft].	Il y a eu un de ces coups de vent !
banc de neige	Congère, amas de neige entassée par le vent ou par suite d'un déblaiement.
charrue	Chasse-neige motorisé utilisé pour le nettoyage des rues après une chute de neige, ou simple pelle munie d'une large plaque arrondie pour repousser la neige des entrées et des trottoirs. Pour cette dernière, on dira aussi une « gratte » ou un « scrêïpœr » [scraper].
été des Indiens	Retour de chaleur estivale d'une durée de trois à cinq jours survenant après les premières gelées, généralement au début d'octobre.
sloche/slotche (f)	Neige à demi fondue ou presque complètement liquéfiée qui encombre rues et trottoirs, et qui, de ce fait, est souvent très sale.

souffleuse	Appareil motorisé muni d'un dispositif hélicoïdal qui permet de projeter la neige au loin. Il y a des souffleuses de petite taille, qui servent à déblayer les entrées après une chute de neige ; il y en a aussi de très grandes qui circulent dans les rues, suivies de camions destinés à recevoir la neige qu'elles projettent.
On' n'â eu toute une bordée !	Il est vraiment tombé beaucoup de neige./Nous avons eu une importante chute de neige.
Y mouille-tu ?/Y va-tu mouiller ?	Est-ce qu'il pleut ?/Va-t-il pleuvoir ?
Y mouille à sieau./Y tombe des clous./Y pleut à boire debout/à bwêr deboutte.	Il pleut très abondamment (et plus ou moins violemment).
Y'en â tombé une shotte !	Il a vraiment beaucoup plu/neigé.
On cale dans' bwette/dans' neige.	On s'enfonce dans la boue/dans la neige.
Ça cale./Ça renfonce.	Le sol est mou, de sorte qu'on s'y enfonce./La neige est molle, de sorte qu'on s'y enfonce.
É pâs peur de sortir ton capot d'pwèle.	N'hésite pas à porter ton manteau de fourrure.
Oublie surtout pâs ton cass de pwèle.	N'oublie surtout pas ton chapeau de fourrure.
Y fa tu assez beau dwâors ?	Ne fait-il pas un temps superbe ?
Y fa frette en si vous pla !/Y fa frette su' un vrai temps !/Y fa frette en joualvert !	Il fait un de ces froids !
Y fa trop frette pour se promener la falle à l'air.	Il fait trop froid pour sortir le cou à l'air.

Lé vittes sont toutes frostées.	Les fenêtres/Les carreaux sont entièrement givré(e)s.
Ermonte le chauffage, on gèle.	Règle le chauffage, nous avons froid.
Y'é pris dans' neige./Y'é pogné dans' neige.	Il est pris/embourbé dans la neige.
On wé pu rien avec la poudrerie.	On ne voit plus rien avec cette poudrerie.
Çé glissant en maudzi !	C'est vraiment très glissant !

PLEIN AIR

ACTIVITÉS DE PLEIN AIR

bécyk (bicycle)	vélo/bicyclette
bécyk à twâ roues (bicycle à trois roues)	tricycle
camp de vacances	colonie de vacances
chaloupe	barque
chou-claque (shoe-claque)	chaussure de sport/revêtement de chaussure
coû'lœrr [cooler]	glacière
crèmer	enduire de crème solaire
dix-vitesses	vélo de course
gougounes	sandales de plage
moineau de badminton	volant de badminton
noirceur/nwêrceur	obscurité/nuit tombée
plemer	peler (en parlant de la peau)
ril [reel]	moulinet de canne à pêche
tî-bârr [t-bar]	remonte-pente
traîne sauvage (f)	toboggan
Skidoo (marque de commerce)	motoneige
Seadoo/Jet-Ski (m) (marque de commerce)	motomarine
Ch'te dzi qu'y'â un maudzi beau bécyk !	Il a vraiment un très beau vélo !
Tu y'â tu acheté un dix-vitesses ou un BMX ?	Lui as-tu acheté un vélo de course ou un vélo tout-terrain ?
Lé z'enfants sont partis au camp.	Les enfants sont à la colonie de vacances.

Ça vâ nous prende une chaloupe pour aller à' pêche.	Il va nous falloir une barque pour aller à la pêche.
J'me su toute crèmé avant d'sortir.	Je me suis complètement enduit de crème solaire avant de sortir.
Oublie pâs té gougounes, y'â dé roches su'l bord de l'eau.	N'oublie pas tes sandales de plage, il y a des gravillons/des galets au bord de l'eau.
On vâ-tu prendre une marche ?	Ça te dirait d'aller faire une promenade ?
On n'é mieux d'rentrer avant à' nwêrceur si on veut pâs s'parde.	Mieux vaut rentrer avant la tombée de la nuit si nous ne voulons pas nous perdre.
Depuis mon coup de soleil, j'arrête pâs d'plemer.	Depuis mon coup de soleil, ma peau ne cesse de peler.
Ton ril marche-tu bein ?	Ton moulinet fonctionne-t-il bien ?
J'm'â te 'rjoindre au tî-bârr.	On se retrouve au remonte-pente.
Ça t'tente-tu d'faire d'la traîne sauvage ?	Ça te dirait de faire du toboggan ? (Notez que ce toboggan particulier n'a pas de patins et est formé de minces planches ajustées et recourbées à l'avant.)
Nouzô'te, ç'pâs compliqué, cé l'Skidoo l'hiver pi l'Seadoo l'été.	Nos activités de plein air se limitent à la motoneige en hiver et à la motomarine en été.

CANOT OU CANOË ?

Il est à noter que le terme propre pour désigner l'embarcation légère de forme allongée et aux extrémités arrondies dont on se sert pour sillonner lacs et rivières est « canot », et non pas « canoë », cet autre genre d'embarcation étant plutôt réservé aux compétitions sportives. On dira donc « canot et kayak » et non pas « canoë-kayak », même s'il n'y a pas de différence entre ces deux expressions à l'oreille.

ÉVÉNEMENTS SPORTIFS

soccœrr [soccer]	football (par opposition au football américain)
baloune [balloon]	ballon
ca'tcher	attraper
garnotte	coup solide
garnotter	lancer avec force
guêïme [game]	partie/match/jeu
joute	partie
scâ'rer [to score]	marquer un but
semi-finales	demi-finales
Y'â ca'tché à' balle./Y'â ca'tché l'ballon.	Il a attrapé la balle/le ballon.
Y'â kické à' baloune.	Il a botté le ballon./Il a frappé le ballon du pied.
Ça joue roffe [rough].	Ça joue durement.
Y t'y â enwèyé une méchante garnotte !	Il a frappé un de ces coups !

Au hockey

gô'l [goal]	but
gô'ler [to goal]	garder les buts
gô'lœrr [goaler]	gardien de but
pads	protège-coudes/-épaules /-genoux/-tibias
poque (m/f) [puck]	palet/rondelle
scrêïper [to scrape]	gratter
slap shotte [shot]	lancer frappé

On va-tu à' guêîme de hockey ?
Ça te dirait d'aller au match de hockey ?

MAIS

Es-tu guêîme ?	Est-ce que ça te dit ?/En as-tu le courage ?
Qui ç'qui gô'l à swêr ?	Qui garde les buts ce soir ?
Y vont scrêîper à' glace.	Ils vont gratter la glace.
Les Canadiens jousent bein en maudzi.	Le Canadien joue vraiment très bien.
La Sainte Flanelle/Le Bleu-blanc-rouge/Le Tricolore.	Le Canadien (équipe de hockey de Montréal).

FAUNE

achigan	perche noire
barbotte	poisson-chat
bébitte à patates	coccinelle
bébitte/bibitte	insecte/moustique
caribou	renne
chevreuil	cerf de Virginie
doré	poisson d'eau douce
écureux	écureuil (s)
joual/jouaux	cheval/chevaux
maringouin	moustique
maskinongé	brochet géant
mouche à chevreuil	espèce de petit taon
mouche à cheval	grosse mouche piquante

mwèneau	moineau
orignal	élan d'Amérique
ouananiche	saumon d'eau douce
ouâouâron	grenouille géante
parchaude	perchaude
pardrix	perdrix
pic-bwâ (pic-bois)	pic/pivert
picouille	canasson/rosse
siffleux	marmotte
suisse	tamia/écureuil rayé

P'TSI PWÈSSONS DÉ CH'NAUX (PETITS POISSONS DES CHENAUX)

Il s'agit du « poulamon », une espèce qu'on pêche en hiver en creusant un trou dans la glace qui couvre la rivière à Sainte-Anne-de-la-Pérade. Pour les besoins de la cause, étant donné qu'il fait souvent très froid, on s'abrite alors dans une petite cabane posée sur le trou en question et chauffée par un petit poêle à bois.

Le Musée de la Petite Maison Blanche et du Déluge du Saguenay.
© iStockphoto.com/Tony Tremblay

COMMODITÉS

HÉBERGEMENT

air climatisé	air conditionné
bârrer	verrouiller/fermer à clé
bloc/bloc appartement	immeuble résidentiel
câdre	tableau
calorifère	radiateur
canal	chaîne de télé/caniveau
canceller une réservation	annuler sa réservation
cave	sous-sol
chaise berçante	berceuse
chambreur	locataire (d'une chambre)
châssis	fenêtre
côloc	colocataire
condo/condominium	appartement en copropriété
coquerelle	cafard/blatte
coqueron	réduit/placard/toute petite pièce
débârrer	déverrouiller
deuxième étage	premier étage
divan	canapé/causeuse
dji'prrock [Gyproc] (marque de commerce)	placoplâtre
fanne (f) [fan]	ventilateur/éventail électrique
fournaise	appareil de chauffage central

galerie	balcon
garde-robe	placard
hâïdebède [Hide-A-Bed] (marque de commerce)	canapé-lit (marque de commerce)
intercom	interphone
ketch	verrou
packœdj dî'l [package deal]	forfait
patio	terrasse
peinturer	peindre
p'tsi banc	tabouret
pôle	tringle
portique	hall d'entrée/vestibule
poste/canal	chaîne (de télé)
prélârt/prelârt	linoléum
premier étage	rez-de-chaussée
salle à dîner	salle à manger
salon	salle de séjour
sêïfe [safe]	coffre-fort
set	ensemble/mobilier
sofa	canapé
sofa-lit	canapé-lit
soubassement	sous-sol
splitte-lèvœl (m) [split-level]	maison à demi-niveaux
support	cintre
té'vé/tî'vî (f)	téléviseur
tinque (f) à eau chaude	réservoir à eau chaude
tuile	carreau/carrelage

| valance | cantonnière |
| vidanges | ordures/déchets |

UNE PORTE BIEN FERMÉE N'EST PAS TOUJOURS BARRÉE…

Si vous employez le mot « fermer » pour dire « fermer à clé », vous risquez d'avoir quelques surprises. En effet, au Québec, « fermer » ne veut dire que cela et rien d'autre, de sorte que si vous demandez « As-tu bien fermé derrière toi ? » et qu'on vous répond par l'affirmative, la porte peut très bien être fermée sans pour autant être verrouillée. Au Québec, fermer une porte à clé, c'est la « barrer ».

En ce qui concerne les étages, il convient de retenir que le « premier » (le *first floor* de nos voisins anglophones) correspond au « rez-de-chaussée », que le « deuxième » (*second floor*) correspond au « premier » et que le « troisième » (*third floor*) correspond au « second ».

Vot' chambre est au premier étage/deuxième étage.	Votre chambre est au rez-de-chaussée/au premier.
On vous offre toute une gamme de services.	Il est à noter que, dans un contexte commercial, le mot « offrir » est presque invariablement employé au sens de « proposer » et ne renferme en général aucune connotation de gratuité.

Oubliez pas d'bârrer à' porte.	N'oubliez pas de verrouiller la porte. (Au Québec, « fermer » signifie tout simplement « fermer ce qui était ouvert », sans plus. Ainsi, lorsqu'il s'agit de « verrouiller », il faut le préciser par le mot « bârrer ».)
Laissez pâs vot' porte débârrée si vous voulez pâs vous faire voler.	Ne laissez pas votre porte déverrouillée si vous ne voulez pas vous faire voler.
Vous z'avez pas mis l'air climatisé ?	Vous n'avez pas fait fonctionner l'air conditionné ?
Y ress dans un bloc/dans un bloc appartement.	Il habite un immeuble résidentiel.
Y s'sont acheté un beau condo.	Ils ont fait l'acquisition d'un bel appartement en copropriété.
Y'ont une maudzite belle cabane.	Ils ont une maison vraiment magnifique.
Y'ont une belle cave toute finie.	Ils ont très bien aménagé leur sous-sol.
J'ai échappé ma clé dans le canal.	J'ai laissé tomber ma clé dans le caniveau.
À ress dans un vrai coqueron.	Elle habite une toute petite chambre/un minuscule meublé.
Les câdres sont croches.	Les tableaux sont de travers.
Si vous avez frette, on peut vous rajouter un calorifère.	Si vous avez froid, nous pouvons vous procurer un radiateur d'appoint.
Prends à' chaise berçante, tu vas êt' mieux.	Installe-toi dans la berceuse, ce sera plus confortable.
Comme on â une grande maison, on assèye toujours d'avoir au moins deux chambreurs.	Comme nous avons une grande maison, nous cherchons toujours à louer au moins deux chambres (à plus ou moins long terme).

Mon/Ma côloc vous laisse sa chambre pour la semaine.	Mon/Ma colocataire vous laisse sa chambre pour la semaine.
Y'â quelqu'un qui vâ v'nir laver é' châssis d'main.	Quelqu'un va venir laver les fenêtres demain.
Laissez pâs traîner d'manger si vous voulez pâs attirer é' coquerelles.	Ne laissez traîner aucune nourriture si vous ne voulez pas attirer les cafards.
Prends mon lit, j'vâ dormir su'l divan.	Prends mon lit, je vais dormir sur le canapé.
Les murs sont en dji'prrock, on entend toute ç'qui s'pâsse chez l'vwésin.	Les murs sont en placoplâtre, on entend tout ce qui se passe chez le voisin.
Dites-mwé-lé si vous avez besoin d'une fanne.	Dites-le-moi si vous avez besoin d'un ventilateur.
La fanne é-tu trop forte ?	Le ventilateur vous fait-il trop d'air ?
J'va r'monter à' fournaise pour qu'y fasse moins frette.	Je vais régler le chauffage pour qu'il fasse moins froid.
Y'â tu assez d'supports dans l'garde-robe ?	Y a-t-il suffisamment de cintres dans le placard ?
Quand t'y fa beau, on veille sa' galerie.	Quand le temps est doux, nous passons la soirée sur le balcon.
Y'en â deuzô'tes qui peuvent dormir dans le hâïdebède.	Deux autres peuvent dormir sur le canapé-lit.
Vous pouvez l'appeler su'l'intercom.	Vous pouvez l'appeler par interphone.
Ç't'un maudzi bon packœdj dî'l.	C'est un forfait très avantageux.
Y fa assez beau pour souper su'l patio.	Il fait assez beau pour dîner sur la terrasse.
Y'â deux p'tsi bancs en d'sour du comptwêr d'la cuisine.	Il y a deux tabourets sous le comptoir de la cuisine.
J'ai pendu vos manteaux sa' pôle d'la douche.	J'ai accroché vos manteaux sur la tringle de la douche.

Laissez pâs vos bottes dans l'portique, y vont êt' j'lées.	Ne laissez pas vos bottes dans le vestibule, elles vont être beaucoup trop froides (au moment de les remettre).
La tinque à eau chaude est dans' cave.	Le réservoir à eau chaude se trouve au sous-sol.
Marche pas nu-pieds sa' tuile, tu vâs prendre du mal.	Ne marche pas pieds nus sur le carrelage, tu vas prendre froid.
Avez-vous r'marqué nos nouvelles valances ?	Avez-vous remarqué nos nouvelles cantonnières ?
Les vidanges passent le mardi pi l'jeudi.	La cueillette des ordures se fait le mardi et le jeudi.

La chambre à coucher

bassinette	petit lit d'enfant
bureau	commode
cadran	réveille-matin
couverte/couvarte	couverture
couvre-pieds	couvre-lit
douillette	duvet/couette
lit king	très grand lit
lit queen	grand lit
robe de chambre	peignoir

Le p'tsi é rendu bein' trop grand pour coucher dans' bassinette.	Le petit est maintenant beaucoup trop grand pour dormir dans le lit de bébé.
Si t'âs dé z'affaires à r'pâsser, t'âs yeinqu'à' é laisser su'l bureau.	Si tu veux faire repasser quelques vêtements, tu n'as qu'à les laisser sur la commode.

Oublie pâs d'mette ton cadran pour demain matin.	N'oublie pas de régler ton réveil pour demain matin.
Si çé dé couvartes qui vous faut, on' n'â en masse.	Si ce sont des couvertures qu'il vous faut, nous en avons amplement.
Aimez-vous mieux un couvre-pieds décoratif ou une bonne grosse douillette ?	Préférez-vous un couvre-lit décoratif ou un duvet/une couette ?
Vous avez l'choix entre un lit king ou deux lits doubles.	Vous avez le choix entre un très grand lit et deux lits pour deux personnes.

La salle de bain

Notez qu'on peut tout aussi bien parler de la «chambre de bain» d'un restaurant ou de tout autre lieu public pour désigner sa salle d'eau ou ses W.-C.

bain tourbillon	baignoire à remous
bain	baignoire
balance	pèse-personne
bol (m/f)/bol de toilette	cuvette
chaîne	chasse d'eau
chambre de bain	salle de bain
champlure (f)	robinet
débarbouillette	petite serviette de toilette carrée
flocher [to flush]	tirer la chasse d'eau
kyou tipss [Q-Tips] (marque de commerce)	coton-tiges
savon/barre de savon	savonnette
séchoir à cheveux	sèche-cheveux

Y'â pu de savon dans chamb' de bain.	Il n'y a plus de savonnette dans la salle de bain.
La/Le bol de toilette est pas bein propre.	La cuvette n'est pas très propre.
Tirer la chaîne/Tirer à' chaîne.	Actionner la chasse d'eau.
Flocher à' toilette.	Tirer la chasse d'eau.
La champlure coule.	Le robinet fuit.
On vient juss de s'faire poser un bain tourbillon.	Nous venons tout juste de nous faire installer une baignoire à remous.
Ayez pâs peur de prend' d'l'eau chaude, y'en â en masse.	N'hésitez pas à prendre toute l'eau chaude que vous voulez, il y en a en abondance.
J'resterais dans le bain pendant des heures.	Je resterais dans la baignoire pendant des heures.
Si ç'ta yeinque de mwé, j'prendrais mon bain à twé jours.	S'il n'en tenait qu'à moi, je prendrais un bain tous les jours.
Tu peux faire tremper tes bobettes dans'l l'évier.	Tu peux faire tremper tes slips dans le lavabo.
Y'â une balance dans' penderie.	Il y a un pèse-personne dans le placard.
Ch'peux t'pâsser mon séchwêr si tu veux.	Je peux te prêter mon sèche-cheveux si tu veux.
Dites-mwé-lé si vous avez besoin d'pluss de serviettes pi'd débarbouillettes.	Dites-le-moi s'il vous faut plus de grandes serviettes et de petites serviettes de bain.

La cuisine

canârd	bouilloire
champlure (f)	robinet
chaudron	casserole

102

cygne [sink]	évier/lavabo
dépense	garde-manger
fourneau	four
laveuse à vaisselle	lave-vaisselle
lèchefrite	cocotte
pan'tré/pèn'tré (f) [pantry]	comptoir de cuisine
poêle (m)	cuisinière
Presto (m) (marque de commerce)	cocotte-minute
tôstœrr [toaster]	grille-pain
ustensiles	couverts
vaisseau	grosse marmitte/casserole
On vous â mis un canârd su'l poêle.	Nous avons mis une bouilloire sur la cuisinière.
La laveuse à vaisselle se plogue après à' champlure.	Le lave-vaisselle se raccorde au robinet.
Allez-vous avwèr assez de chaudrons ?	Allez-vous avoir suffisamment de casseroles ?
Laissez vot' vaisselle dans l'cygne.	Laissez votre vaisselle dans l'évier.
Y'â toute c'qui faut dans' dépense.	Vous trouverez tout ce qu'il vous faut dans le garde-manger.
Le fourneau s'nettwèye tout seul.	Le four est autonettoyant.
Y'â de l'eau frwède dans le frigidaire.	Il y a de l'eau froide dans le réfrigérateur.
La lèchefrite pi le presto sont dans l'bâs d'armwère.	La cocotte et la cocotte-minute se trouvent dans l'espace de rangement aménagé sous le comptoir.
Y'a un tôstœrr sa' pèn'tré.	Il y a un grille-pain sur le comptoir de la cuisine.

Y'â un rond (de poêle) qui marche pas.	Un des éléments chauffants de la cuisinière ne fonctionne pas.
Tu peux mette les ustensiles sa' tab', le souper é prette.	Tu peux mettre les couverts, le dîner est prêt.
Vous allez pouvwêr faire cuire un poulet dans l'vaisseau.	Vous allez pouvoir faire cuire un poulet dans la grosse marmite.

Entretien et nettoyage

balayeuse (électrique)	aspirateur
boyau/bwèyeau (d'arrosage)	tuyau d'arrosage
chaudière	seau
clî'nn [clean]	propre
clî'ner [to clean]	nettoyer
époussetoir	plumeau
frotter	nettoyer
guénille	torchon
hôsse/hôze (f) [hose]	tuyau d'arrosage
laveuse	lave-linge
linge à vaisselle	torchon pour essuyer la vaisselle
mess	désordre
minous	moutons/flocons de poussière
moppe	serpillière
porte-poussière	pelle à poussière
sécheuse/sècheuse	sèche-linge
shède [shed]	remise
SOS (marque de commerce)	tampons à récurer

spic èn' spanne [Spic and Span] (marque de commerce)	très propre
scouîdgî [squeegee]	raclette
vadrouille	balai à franges
Faudra bein que ch'pâsse la balayeuse.	Il faudrait bien que je passe l'aspirateur.
Vâ m'charcher à' chaudière dans l'garage.	Va me chercher le seau qui se trouve dans le garage.
Ç'pâs mal clî'nn à mon goût.	C'est propre comme j'aime que ce soit propre.
Faudra bein clî'ner l'mess qu'on â faite.	Nous devrions ramasser ce que nous avons renversé./Nous devrions tout remettre en ordre.
L'époussetoir é dans l'armoire.	Le plumeau se trouve dans l'armoire.
Si y'en â bein une qui frotte tout le temps, cé t'elle.	S'il en est une qui nettoie et récure constamment, c'est elle.
Pâsse-mwé à' guénille.	Passe-moi le torchon.
Ça t'dérangerais-tu bein gros d'donner un coup de hôze dans l'entrée ?	Est-ce que ça t'embêterait beaucoup de nettoyer l'entrée au moyen du tuyau d'arrosage ?
Oublie pâs d'serrer l'bwèyau quand t'aurâs fini.	N'oublie pas de ranger le tuyau d'arrosage lorsque tu auras terminé.
Mets toute ton linge dans' laveuse, j'vâ m'en occuper.	Mets tous tes vêtements dans le lave-linge, je vais m'en occuper.
Oublie pâs d'enlever é' minous avant d'partir la sécheuse.	N'oublie pas de nettoyer le filtre avant de faire démarrer le sèche-linge.
Ch'te dzi qu'y pâssent pâs souvent à' moppe icitte !	On ne passe visiblement pas souvent la serpillière ici !
Le balai pi l'porte-poussière sont dans l'garde-robe.	Le balai et la pelle à poussière se trouvent dans le placard.

Tu vâ toute trouver çâ dans' shède.	Tu vas trouver tout ce qu'il te faut dans la remise.
Ch'te dzi qu'çé spic èn' spanne chez vous !	C'est on ne peut plus propre chez vous ! (Notez que l'expression anglaise Spic and Span, du nom d'un produit nettoyant, signifie « reluisant de propreté ».)
Y'm'faudra un scouîdgî pour laver é' vittes.	Il me faudrait une raclette pour laver les fenêtres.
Un p'tsi coup d'vadrouille vâ faire la djob.	Un simple coup de balai à franges fera l'affaire.

RESTAURATION ET CUISINE

Notez bien qu'au Québec les trois repas de la journée sont presque invariablement désignés par les mots «déjeuner» (petit déjeuner), «dîner» (déjeuner) et «souper» (dîner).

S'y ajoute le «brunch» [contraction de *breakfast* (petit déjeuner) et *lunch* (déjeuner) qui se prononce «bronn'che»]. Il s'agit d'un repas faisant à la fois office de petit déjeuner et de déjeuner qu'on prend généralement le samedi ou le dimanche entre 11h et 14h. On dira aussi «bruncher» (bronn'cher) pour «prendre le brunch» ou «prendre un petit déjeuner tardif et copieux».

bill (m)	addition
bourré	rassasié
casse-croûte	snack-bar
couque [cook]	cuisinier
coutellerie	service de couverts
cuillère à table	cuillère à soupe
cuillère à thé	cuillère à café
déjeuner	petit déjeuner

dîner	déjeuner
facture	addition
foule [full]	plein (aussi utilisé dans le sens de « très »)
napkinne [napkin]	serviette de table
souper	dîner
spécial/spécial du jour	plat du jour
splitter [to split]	séparer
table d'hôte	menu à prix fixe
tchopper [to chop]	couper
ustensiles	couverts
wéïtœr [waiter]	serveur
wéïtriss [waitress]	serveuse
Ch'peux-tu vous apporter à' facture/le bill ?	Puis-je vous apporter l'addition ?
On vâ t'êt' bourré après çâ !	Nous allons être repus après avoir mangé tout cela.
On s'arrête-tu dans un casse-croûte ?	Est-ce qu'on s'arrête dans un snack-bar ?
Toutes mes félicitations au couque.	Toutes mes félicitations au chef.
Y'ont sorti leur plus belle coutellerie.	Ils ont sorti leurs plus beaux couverts.
Cette préparation demande deux cuillères à table de sel et une cuillère à thé de sucre.	Cette préparation requiert deux cuillères à soupe de sel et une cuillère à café de sucre. (On utilisera par contre « cuillère à soupe » pour la cuillère dont on se sert pour manger la soupe, l'expression « cuillère à table » n'étant retenue que pour les recettes.)

La bouteille é foule [full].	La bouteille est pleine.
Ch'u complètement foule [full].	Je suis complètement rassasié.
Çé full plate	C'est très ennuyant
On splitte-tu à' facture ?	Est-ce qu'on partage l'addition ?
On paye-tu haf èn' haf ?	Paye-t-on moitié-moitié ?
Tu t'apportes-tu un lunch su l'autobus ?	Apportes-tu une collation à prendre à bord de l'autocar ?
On devrait s'préparer un lunch à manger su'l bord du lac.	Nous devrions préparer un pique-nique à déguster au bord du lac.
J'ai déjà un lunch d'organisé pour demain.	J'ai déjà un déjeuner de prévu pour demain.
À' vous besoin d'napkinnes ?	Avez-vous besoin de serviettes de table ?
Vous devriez assèyer not' spécial.	Vous devriez essayer notre plat du jour.
J'vous r'commande la table d'hôte.	Je vous recommande le menu à prix fixe.
Tchopper une banane en deux.	Couper une banane en deux.

MAIS

Y s'é faite tchopper.	Il s'est fait couper les cheveux plutôt courts.
Avez-vous besoin'd d'aut' z'ustensiles ?	Avez-vous besoin d'autres couverts ?

Aliments et boissons

âldresse [all-dressed]	garni (pizza, hot-dog, etc.)
baloune [balloon]	bulle
beigne	beignet (troué ou non)
beurre de pinottes	beurre d'arachide

beurrée	tartine
bière en fût	bière pression
binnes	fèves au lard
blé d'Inde	maïs
breuvage	boisson
broue	mousse/bière
bonn'ss [bun]	brioche
canne [can]/kécanne	boîte de conserve
chicouté (m)	mûre blanche/jaune
chien chaud	hot-dog
cigâre au chou	chou farci
Coke	coca-cola
côrrn stârrtch (m) [corn starch]	fécule de maïs
costade/costarde	crème-dessert
crémage	glaçage
crème glacée/crème à glace	glace
djinndjœr êïl [ginger ale]	boisson douce au gingembre
draff [draft]	bière pression
fish èn' tchip [fish and chips]	poisson-frites
fodje [fudge]	fondant au chocolat
gadelle/gédelle	groseille à grappe
grêïvî (m) [gravy]	sauce brune/jus de viande
grill tchîze [grilled cheese]	sandwich au fromage grillé
lime	citron vert
liqueur	boisson gazeuse
du manger	de la nourriture

mâshmâlo (m)	guimauve/Chamallow (marque de commerce)
melon brodé/cantaloupe (f)	cantaloup (chair orangée)
melon d'eau	pastèque
melon d'miel	melon (chair vert clair)
motton	grumeau
œufs miroir/au miroir	œufs sur le plat
pain doré	pain perdu
passé date	dont la date de fraîcheur est échue
patate/pétaque	pomme de terre
patates frites	frites
patates pilées	pommes de terre en purée
petite fève	haricot
piment/piment vert	poivron
poche de thé	sachet de thé
poudzigne	pouding
préservatif	agent de conservation
roteux	hot-dog
rôties/toasts	pain grillé
shôrrtkêïke [shortcake]	tarte/gâteau sablé
shôrrt'nigne [shortening]	graisse végétale
sloche	barbotine/granité
soda à pâte	bicarbonate de soude
sous-marin	sandwich de forme allongée
spaghatti/spaghatte	spaghetti
spaghetti italien	spaghetti sauce tomate (avec ou sans viande)

steak haché	bœuf haché
tchârrcôl [charcoal]	charbon de bois
tchopper [to chop]	couper
tchoppe [chop]	côtelette
zucchinis	courgettes
Ça fait des balounes.	Ça fait des bulles.
Mangez-vous des atacâs avec vot' dinde ?	Mangez-vous de la gelée de canneberges avec votre dinde ? (Ne pas confondre avec « en tout câs » ou « en twé câs », qui veut dire « quoi qu'il en soit ».)
Voulez-vous des rôties/des toasts pour déjeuner ?	Voulez-vous du pain grillé au petit déjeuner ?
On n'â pu d'croissants, mais on a des bonn'ss.	Nous n'avons plus de croissants, mais nous avons des brioches.
Patates frites ou patates pilées ?	Frites ou pommes de terre en purée ?
Tu veux-tu m'chopper des légumes ?	Veux-tu me couper des légumes ?
On vâ vous faire des tchoppes de porc su'l tchârrcôl.	Nous allons faire griller des côtelettes de porc sur charbons de bois.
barbecue	Notez que ce mot (qui se prononce « bârrbekiou ») peut aussi bien désigner un gril de plein air (faire cuire quelque chose sur le barbecue) qu'une fête en plein air au cours de laquelle on mange des grillades (faire un barbecue) ou une sauce servant à agrémenter divers aliments (du poulet barbecue).
Aimez-vous les gâteaux avec bein du crémage ?	Aimez-vous les gâteaux au glaçage généreux ?
se sucrer le bec	manger une sucrerie

saffe/cochon	gourmand/glouton
manger comme un cochon	manger beaucoup
se bourrer à' face	s'empiffrer
se bourrer à' fraise	s'empiffrer
ça y sort par les oreilles	il est repu
chu bourré	je suis repu
chu plein	je suis rassasié

CHIEN-CHAUD, HOT-DOG OU « ROTEUX » ?

L'emploi du mot « chien-chaud » (traduction de l'anglais « hot-dog ») étant pratiquement disparu du paysage québécois depuis les années 1960, vous entendrez parfois le québécisme très familier qu'est le mot « roteux », pour désigner le même sandwich avec saucisse. C'est que, selon plusieurs, le hot-dog provoque immanquablement une éructation (rot) après son ingurgitation…

METS TYPIQUEMENT QUÉBÉCOIS

bleuet/beluet/belua

Bien qu'il ne s'agisse pas d'un mets en soi, il convient de distinguer ce fruit bleu et charnu de la myrtille commune et des autres variétés d'airelles. De la grosseur tantôt d'un pois, tantôt d'une grosse framboise, le bleuet, généralement associé à la région du Lac-Saint-Jean, est très prisé et entre dans la composition de nombreux desserts. La récolte s'en fait vers la fin de l'été. Sert aussi à désigner, sur le ton de la blague gentille, les gens originaires de la région du Lac-Saint-Jean.

atacâ/atocâ/canneberge

Un autre fruit de la même famille, cette fois l'airelle des marais d'Amérique, sert à la préparation d'une gelée d'un rouge profond et légèrement acidulée qui accompagne merveilleusement bien les plats de dinde et les venaisons, entre autres.

cipaille/sipaille/cipâte (m)

En général, grand pâté dans la préparation duquel entrent des pommes de terre et diverses sortes de viandes. Aussi appelé «tourtière du Lac-Saint-Jean».

club sandwich

Sandwich à «trois étages» garni de poulet, de bacon, de laitue, de tomates et de mayonnaise qu'on sert découpé en quatre portions triangulaires.

épluchette de blé d'Inde

Au mois d'août, selon une tradition remontant à l'époque des Amérindiens, le maïs se laisse manger sur l'épi, bouilli ou grillé, simplement garni de beurre fondu et de sel. Des fêtes populaires s'improvisent alors un peu partout, en famille ou entre amis, au cours desquelles on épluche les douzaines d'épis qui seront dégustés par les convives, le plus souvent avec une bonne bière froide.

les sucres/aller aux sucres/aller à' cabane à sucre

Au printemps, les érables à sucre sortent de leur torpeur hivernale et sécrètent une eau abondante qu'on récolte pour sa haute teneur en sucre comestible. Nombreux sont alors ceux qui, le plus souvent en famille ou entre amis, convergent vers les érablières pour s'y régaler d'eau d'érable, de sirop d'érable (eau bouillie et réduite) et de tire d'érable (sirop bouilli et épaissi qu'on verse chaud sur la neige pour l'enrouler sur un bâton et s'en faire une friandise à déguster avant qu'elle ne durcisse).

On en profite généralement, pour couronner le tout, d'un festin de jambon, d'omelette, de binnes ou fèves au lard (haricots cuits au four avec des lardons et de la mélasse), et d'oreilles de crisse (grillades de lard), autant de préparations qu'on arrose généreusement de sirop d'érable.

Dans la même veine, on peut parler du sirop de poteau servi par certains restaurants bas de gamme. Il s'agit alors d'un sirop d'érable de piètre qualité, d'un sirop mixte, ou carrément d'un succédané aromatisé à l'érable.

tire Sainte-Catherine

Friandise à la mélasse qu'on prépare habituellement à la fin de septembre pour en faire des papillotes qu'on distribuera aux enfants le jour de l'Halloween (31 octobre) ou de la Sainte-Catherine (25 novembre), fête des vieilles filles.

poutine

Frites garnies de fromage en grains (fondant sous l'effet de la chaleur), le tout étant nappé d'une sauce brune (poutine régulière) ou d'une sauce tomate (poutine italienne).

pâté chinois

Mets populaire à base de bœuf haché qu'on fait revenir à la poêle et sur lequel on étend une couche de maïs en grains ou en crème avant de couronner le tout d'une couche de pommes de terre en purée. On le fait ensuite cuire au four jusqu'à ce que la couche supérieure soit croustillante et bien dorée.

smôke mî't [smoked meat]

Viande fumée servie sur pain de seigle (souvent en sandwich) et généralement accompagnée de cornichons à l'aneth.

cretons

Pâté de porc haché et de graisse.

tourtière

Tourte à la viande (en général du porc, du veau et du bœuf) préparée selon des recettes fort diverses d'une famille à l'autre et d'une région à l'autre.

Ce même mets est plutôt désigné du nom de « pâté à la viande » dans la région du Saguenay–Lac-Saint-Jean, où l'on appelle « tourtière » un gros pâté profond fait d'un mélange de viandes de boucherie ou de gibier et de pommes de terre en morceaux.

bûche/bûche de Noël

Gâteau roulé garni de glaçage marron et décoré de manière à rappeler une véritable bûche.

pouding-chômeur/pouding du chômeur/pouding au chômeur

Dessert consistant à base de farine ou de mie de pain, à quoi l'on mêle un corps gras, du lait, des œufs et un sirop (souvent d'érable) avant de le mettre au four.

tarte au sucre

Tarte à base de cassonade et de crème ou de lait.

tarte à' farlouche

Tarte garnie d'un mélange de mélasse, de farine et de raisins secs.

muffin

Gâteau individuel de forme arrondie qu'on fait cuire au four et qui peut contenir divers ingrédients salés ou sucrés tels que fruits secs, fromage et autres. Souvent consommé au petit déjeuner ou en guise de goûter au cours de la journée.

ACHATS

achalandé	très fréquenté
arranger	réparer
aubaine/solde	promotion
bargainer/barguiner	marchander
bill (m)	facture
boulchitte [bullshit]	foutaise/baratin
buanderie	blanchisserie
caméra	appareil photo/caméscope
carrosse	caddie (de supermarché)
cash	caisse (enregistreuse)/argent comptant
centre d'achat	centre commercial
crêïte [crate]	cageot
de seconde main	d'occasion
dépanneur	épicerie de dépannage
département	rayon
dî'l [deal]	affaire/aubaine
dî'ler [to deal]	marchander
discontinué	dont la production a été abandonnée
dispendieux	cher/coûteux
floche [flush]	à ras/au niveau/juste/en ordre
item	article
kit	jeu/ensemble/série/nécessaire/bazar
linge	vêtements

manufacture	usine/fabrique
ma'tcher [to match]	harmoniser
médium	moyen/de taille moyenne
nettoyeur	teinturier/pressing
neu	neuf
scrappe [scrap]	camelote
spécial	solde/prix d'ami
stock	marchandise
stoffe [stuff]	produit
storage	entreposage
tchèker [to check]	regarder/vérifier
tchî'pe [cheap]	peu cher/de piètre qualité
vente	solde
TPS	taxe de vente fédérale
TVQ	taxe de vente du Québec

NE VOUS FAITES PAS PASSER UN SAPIN !

L'expression on ne peut plus québécoise « se faire passer un sapin » prend le sens de « se faire rouler », car certains se faisaient vendre du bois de sapin, qui fissure au séchage, pour du bois d'épinette, plus résistant.

Papeterie

aiguisoir	taille-crayon
attache-feuilles/clip	trombone
broche	agrafe
brocheuse	agrafeuse
efface (f)	gomme à effacer
pad	bloc-notes
scotch têïpe [scotch tape]	ruban adhésif

Quincaillerie

bôte [bolt]	boulon
décapant	dissolvant à vernis
dril' [drill]	perceuse
papier sâblé	papier de verre/d'émeri
quincaillerie	quincaillerie/droguerie/marchand de couleurs
sâbler	poncer
sâbleuse	ponceuse
sprigne [spring]	ressort
taraud	écrou
vâïze-grippe [vise-grip]	pince-étau

Soins personnels

Cutex (marque de commerce)	vernis à ongles
fixatif	laque pour les cheveux
kyou tipss [Q-Tips] (marque de commerce)	coton-tiges

poli à ongles	vernis à ongles
spré [spray]	aérosol
spré nette [spray net]	laque pour les cheveux

Articles divers

batterie	pile
carrosse	landau/poussette
enregistreuse	magnétophone
Kodak (marque de commerce)	appareil photo
pousse-pousse	poussette
ratine	tissu-éponge
système de son	sono/chaîne stéréo
On peut vous l'arranger.	Nous pouvons vous le réparer.
Voulez-vous l'kit au complet ?	Voulez-vous l'ensemble complet ?
J'ai un beau kit de maquillage à vous montrer.	J'ai un beau nécessaire de maquillage à vous montrer.
Toute le kit.	Tout le bazar.
Écoute pâs c'qui dzi, cé toute d'la boulchitte.	N'écoute pas ce qu'il dit, c'est de la foutaise.
On n'â pâs de d'çâ.	Nous n'en avons pas.
Y'ont rien qu'd'la scrappe, icitte.	Ils n'ont que de la camelote, ici.
Y'â rien qu'du neu, icitte.	Il n'y a ici que du neuf.
Ç't'un méchant dî'l [deal].	C'est une très bonne affaire./C'est toute une aubaine.
On â réussi à y dî'ler çâ pâs cher.	Nous avons réussi à lui faire baisser son prix.
Ç't'un spécial que j'vous fais.	C'est un prix d'ami que je vous fais.
Tout est en spécial.	Tout est en solde.

V'nez vwêr nos spéciaux.	Entrez voir nos rabais.
Vente *(dans une vitrine, sur une affiche, en réclame dans le journal)*	Solde *(Dans tout autre contexte, le mot « vente » conserve son sens habituel.)*
Çé du bein bon stock.	C'est de la très bonne marchandise. (On dira aussi « C'est du stock ! » pour signifier qu'une matière est difficile à assimiler, qu'une vérité est difficile à accepter ou qu'une tâche à abattre constitue tout un défi. Dans la même veine, on dira aussi « C'est tou motche [too much] ! » pour « C'est trop ! ».)
Ç't'un bon stoffe.	C'est un bon produit.
Voulez-vous un stoffe pour le cuir ?	Voulez-vous un produit d'entretien pour le cuir ?
Vous allez trouver çâ dans l'département des jouets.	Vous trouverez ça au rayon des jouets.
Mont' don(c) wêr.	Montrez-le-/-la-moi, pour que je le/la voie.
Ça arrive floche.	Tout est parfaitement ajusté./ Tout se place à merveille./Tout est parfaitement en ordre.
Ça ma'tche pâs pantoute.	Ces deux articles ne vont pas du tout ensemble.
Les couleurs ma'tchent pas.	Les couleurs ne vont pas bien ensemble.
Y faut toujours tchèker le prix avant de choisir.	Il faut toujours s'assurer du prix avant de fixer son choix.
On peut vous l'garder en storage si vous voulez.	Nous pouvons l'entreposer pour vous si vous le désirez.
Combien vous voulez mette ?	Combien êtes-vous disposé à payer ?
Y faut aller au cash pour payer.	Vous devez payer à la caisse.
On prend juss du cash.	Nous n'acceptons que l'argent comptant.

La taxe est pâs dans l'prix./Le prix comprend pâs é' taxes.

Le prix affiché n'inclut pas les taxes.

Vêtements et accessoires

bâs	bas/chaussette
bobettes	petites culottes/caleçons
bourse	sac à main
bo'xœrr [boxer]	caleçon boxeur
brassière	soutien-gorge
camisole	maillot de corps
cass (casque)	chapeau/casquette
chandail	chandail/t-shirt
claques/chaloupes/caoutchoucs	couvre-chaussures
corduroi [corduroy]	velours côtelé
cô'te [coat]	manteau/veste/veston/coupe-vent/parka
cô'te [coat] d'hiver	manteau d'hiver
cô'te [coat] d'habit	veston
costume de bain	maillot de bain
djom'pœrr [jumper]	robe-chasuble
fitter [to fit]	s'ajuster
flaïye [fly]	fermeture-éclair
foulard	écharpe
gougounes	sandales de plage/pantoufles tricotées maison
habit	complet
jaquette	chemise de nuit

kangourou	sweat-shirt à poche ventrale
mitaine	moufle
overâll	salopette
robe de chambre	peignoir
sacoche	sac à main
slack/lousse	trop large/lâche/mal ajusté
strètché [stretchy]	extensible/élastique
taïte [tight]	serré
tuque	bonnet de laine
veste	gilet/lainage
veston	veste
zippœr [zipper]	fermeture-éclair
E'rmonte ta flaïye.	Remonte ta fermeture-éclair.
Aimez-vous les pantalons stretchés ?	Aimez-vous les pantalons fuseaux ?
Les manches sont-tu trop taïtes ?	Les manches sont-elles trop serrées ?

ÇA FITTE-TU ? EST-CE QUE ÇA VOUS VA ?

Notez que le mot « fitter » s'utilise aussi chaque fois qu'il est question d'ajuster une chose à une autre, par exemple « Le bouchon fitte-tu sa' bouteille ? », et même au sens figuré : « Y fitte pâs pantoute dans l'décor. » pour dire d'une personne ou d'un objet qu'il ne s'intègre pas du tout à l'environnement dans lequel il se trouve.

Les maisons colorées du Plateau, à Montréal.
© iStockphoto.com/Galina Barskaya

Le rocher Percé.
© iStockphoto.com/Vladone

RAPPORTS HUMAINS

TERMES GÉNÉRAUX

accommoder	rendre service
achaler	importuner
batâille	violente dispute
se batâiller	se battre
binne/bette	visage (expression)
bitcher [to bitch]	critiquer
bretter	lambiner
ca'tcher [to catch]	comprendre
chicane	dispute
chicaner	disputer
djôke [joke]	blague
djôker [to joke]	faire des blagues
enfarger	faire trébucher
enfirwâper	embrouiller (quelqu'un)
ertontir	arriver à l'improviste chez quelqu'un
ervenger	venger
menterie	mensonge
mou'ver [to move]	grouiller/se grouiller
niaisage	badinage/temps perdu en futilités
niaiser	faire perdre son temps
passer	prêter
planter	tabasser/battre

pogner	attraper/saisir/tripoter
rochant [to rush]	qui fait suer
ronner [to run]	diriger
sa'crer son camp	partir
sa'crer une claque	donner une claque
sparage	ostentation/énervement
troster [to trust]	faire confiance
twister [to twist]	déformer
zigonner	tourner en rond/s'acharner sans succès/perdre son temps en futilités
Tu y'a tu vu à' binne/bette ?/Tu y'â tu vu à' face ?	As-tu remarqué son expression ?/Quelle tête il fait !
Si ça peut vous accommoder...	Si ça vous arrange.../Si ça peut vous rendre service...
Tu parles d'un nom à coucher dwâor !	Quel nom bizarre !
Tasse-twé !/Tasse-twé d'lâ !/Tasse-twé de d'lâ !	Pousse-toi !/Dégage !/Fais de l'air !
Wôwe les moteurs !	On se calme !
Les nerfs !/Pogne pas les nerfs !	Ne t'énerve pas comme ça !/Ne te fâche pas !
Tu m'passes-tu ton livre ?	Me prêtes-tu ton livre ?
Awèye !/Embrèye !/Dziguédzine !	Dépêche-toi !/Cesse de lambiner !/Accélère !
Awèye, mou've !	Allez, grouille-toi !
Achale-mwé pâs.	Laisse-moi tranquille./Cesse de m'importuner.
Arrête don(c) !	Tu n'es pas sérieux ?/C'est une blague ?/Tu veux rire ?/J'ai du mal à te croire.

Arrête don(c) d'bitcher cont' toute !	Cesse donc de tout critiquer !
Arrête tes sparages !	Cesse de t'énerver pour rien./Cesse de gesticuler./Cesse de nous en mettre plein la vue.
Arrête de twister tout ce que ch'te dzi.	Cesse de déformer tout ce que je te dis.
Arrête don(c) de bretter !	Cesse donc de lambiner !
Arrête don(c) de zigonner !	Cesse donc de jouer avec cela./N'as-tu pas fini de perdre ton temps ?/Arrête de tourner autour du pot.
Arrête don(c) de niaiser !	Cesse donc de dire des bêtises !/Cesse donc de faire le pitre !/Cesse donc de te moquer !/Cesse donc de perdre ton temps en futilités !
J'aime pâs çâ m'faire niaiser.	Je n'aime pas qu'on se paie ma tête.
Si y pouvait arrêter d'niaiser, ça irait pâs mal plus vite.	S'il ne lambinait pas tant, ça irait beaucoup plus vite.
J'ca'tche pâs ton affaire.	Je ne comprends rien à ce que tu dis/à ce que tu fais.
Parler dans l'casse (casque).	Dire ses quatre vérités à quelqu'un./Engueuler.
Y t'y â parlé su' un vrai temps.	Il lui a parlé sans ménager ses paroles.
Pogner une chicane.	Avoir une dispute.
J'l'ai pogné juss à temps.	Je l'ai attrapé juste à temps (au sens propre comme au figuré).
Ch'te dzi qu'à s'é faite planter !	Elle s'est fait solidement tabassée./Elle s'est fait battre à plate couture.
Ça' pâs pris d'temps qu'à s'é 'rvengée.	Elle n'a guère mis de temps à se venger.
Brâsser le cadran.	Secouer vivement (au figuré comme au sens propre).

Ç't'a juss une djôke.	Ce n'était qu'une blague.
Prends pâs tout c'qui dit pour du cash.	Ne prends pas tout ce qu'il dit pour de l'argent comptant.
Passer au cash./Manger sa claque./Manger une volée./Manger toute une volée.	Se faire tabasser.
Je l'tross [trust] pâs pantoute.	Je ne lui fais nullement confiance.
Nos voisins sont pâs mal rochants.	Nos voisins nous font passablement suer.
Cé rochant, c't'affaire-là !	Ce n'est pas de tout repos, cette histoire-là !
Lâche pas la patate !	N'abandonne pas !
Tchèke-twé bein !	Fais bien attention à toi.
Ça' pâs rapport.	Ça n'a aucun rapport.

MAIS

Y'â pâs rapport./Y'â pâs rap'.	Il est complètement dans l'erreur./ Il est complètement déphasé./Il divague./Il n'a rien à faire ici.
Vâs-y fort !	Ne te gêne surtout pas !
Y'arrête pâs d'ronner tout le monde.	Il ne cesse de donner des ordres à tout le monde.

SORTIES

brosse/prendre une brosse/virer une brosse	cuite/prendre une cuite
boucane	fumée
cellulaire/cell (m)	téléphone portable
dolle [dull]	ennuyeux/triste

emboucaner	enfumer
fin de semaine	week-end
flash	idée
fonne [fun]	plaisir
guêïme [game]	partie/match/jeu
intermission	entracte
kick	plaisir/satisfaction
pârrté [party]	partie/fête entre amis
plate	ennuyeux
pou'l [pool]	billard américain/snooker
rrêîve [rave]	soirée tardive de musique techno en des lieux insolites
scinique (m)	montagnes russes
show	spectacle
steppette	pas de danse
super le fonne	vachement sympa
surrprrâîse (m) [surprise]	surprise-partie
toune [tune]	air/mélodie/chanson
vues	cinéma
Tu veux-tu aller aux vues ?	Veux-tu aller au cinéma ?
Aimes-tu mieux aller jouer au pou'l ?	Préfères-tu aller jouer au billard ?
J'ai eu un flash.	J'ai eu une idée.
Ça m'â donné un de ces kicks !	Ça m'a procuré beaucoup de plaisir/ une grande satisfaction !

MAIS

Y'â l'kick su' elle.	Il a le béguin pour elle.

Y va y avwêr un méchant pârrté.	Il va y avoir toute une fête.
On va awvêr un fonne nwêr.	Nous allons bien nous amuser.
Çé l'fonne à' mort.	C'est on ne peut plus amusant. C'est très excitant. C'est extrêmement divertissant.
Çé plate en bébitte./Ça peut pâs êt' plus dolle.	Ce que ça peut être ennuyeux./C'est triste à mourir./On s'ennuie comme jamais.
Tires-twé une bûche.	Assieds-toi./Va te chercher une chaise.
Y'â don bein d'la boucane, icid'ans !	Ce qu'il peut y avoir de la fumée, ici !
Arrête de nous emboucaner avec ta cigarette.	Cesse de nous enfumer avec ta cigarette.
Passer à' nuitte sa' corde à linge.	Passer une nuit blanche./Veiller très tard.
Se lâcher lousse.	Se laisser aller sans retenue.
Se rincer le dalot./Prendre un coup./Prendre un p'tit coup./S'envoyer un verre en arrière d'la cravate./Se paqueter./S'pacter à' fraise./E'rviver une brosse./Partir sa' brosse./Partir su' une baloune.	Prendre un verre, ou une quantité plus ou moins importante d'alcool.
Caler une bière.	La boire rapidement, ou même d'un seul coup.
T'en bwé une shotte !	Tu bois beaucoup !
Y tinque en masse.	Il boit beaucoup.
Ça donne un méchant bozz [buzz] !	Ça étourdit./Ça rend ivre.
Être éméché/émèché./Être gorlot./Être paqueté./Être saoul comme une botte.	Être ivre à divers degrés.

Être faite./Être faite à l'os.

Être complètement ivre. (Notez que cette expression peut aussi vouloir dire « avoir perdu », « être perdu d'avance », « s'être fait avoir », « être voué à l'échec », « aller à sa perte », etc.)

Rencontres et rapports intimes

accoté	en concubinage
agace-pissette	enjôleuse
bec	bise/baiser
bitch	garce
blonde	petite amie/compagne
boutch [butch] (péj.)	lesbienne
câsser	rompre
clavarder	chatter
condom	préservatif
courâiller	courir les jupons
courâilleux	coureur de jupons
courir la galipote	courir les jupons
dêîte [date]	rendez-vous galant
domper [to dump]	laisser tomber
fif/tapette/moumoune (péj.)	gay/gai
fille de pârrté	fille qui aime faire la fête
flocher [to flush]	laisser tomber
gârs de pârrté	gars qui aime faire la fête
guidoune/guédaille	fille facile/fille vulgaire
jâser	bavarder

kick	béguin/marotte
krou'zer [to cruise]	draguer
kyou'te [cute]	joli(e)/mignon(ne)
ma'tcher [to match]	présenter/tenter d'unir
mettre/se mettre	baiser
moffer [to muff]	rater/louper
pitoune	jolie fille
placoter	bavarder
pogner	avoir du succès/tripoter
prette	prêt/prête
splitter [to split]	rompre
stèdé [steady]	stable/régulier
strêït [straight]	hétérosexuel
stockoppe [stuck up]	puritain/réservé à outrance
swîtcher [to switch]	changer
tchomme [chum]	ami/petit ami/compagnon

Té tu prette ?	Es-tu prêt/prête ?
Tomber en amour.	Tomber amoureux.
À m'â donné un bec.	Elle m'a fait la bise./Elle m'a donné un baiser.
On â placoté une bonne demi-heure.	Nous avons bavardé pendant une bonne demi-heure.
On a juss jâsé.	Nous avons simplement bavardé.
J'pense qu'à' l'kick su mwé./J'pense qu'â l'â l'kick su mwé.	Je crois qu'elle a le béguin pour moi.
Son kick, cé d'leur jouer l'grand jeu.	Sa marotte/Son divertissement favori, c'est de leur jouer le grand jeu.

Cé Paul qui nous â ma'tchés ensemble.	C'est Paul qui nous a présentés l'un à l'autre.
Faudrait bein essayer d'lé ma'tcher, cé deux-lâ.	Il faudrait bien que nous les présentions l'un à l'autre, ces deux-là.
J'ai l'impression qu'y'â moffé./J'ai l'impression que son chien est mort.	J'ai l'impression qu'il a raté sa chance.
À pogne pâs pantoute avec les gârs.	Elle n'a aucun succès auprès des garçons.

MAIS

Y m'â pogné é' fesses.	Il m'a tripoté les fesses.
Y sortent stèdé depuis un bon boutte.	Ils ont une relation stable depuis un bon bout de temps.
Y sont accotés.	Ils vivent en concubinage.
J'te présente ma blonde.	Je te présente ma petite amie. (relation récente)/Je te présente ma compagne. (conjointe hors mariage)
J'te présente mon tchomme.	Je te présente mon petit ami. (relation récente)/Je te présente mon compagnon. (conjoint hors mariage)

MAIS

Ç'te gârs-lâ, c'é mon meilleur tchomme.	Ce gars-là, c'est mon meilleur ami.
Mé tchommes de fille.	Mes copines.
Ça fa deux semaines qu'y'ont câssé/splitté.	Ça fait deux semaines qu'ils ont rompu.
Y l'â flochée./À l'â dompé.	Il/Elle l'a laissé tomber.
Ch't'aime comme que t'é.	Je t'aime tel(le) que tu es.

Ç'te fille-lâ, è complètement stockoppe.	Cette fille-là est tellement réservée qu'il n'est absolument pas question de coucher avec elle, ni peut-être même de la toucher ou de lui donner un baiser. (On dit aussi, dans un contexte plus large, « stocké » ou « pogné » pour signifier « pris », « embourbé », « bloqué » ou « en proie à des blocages ».)
Y pâsse son temps à courir la galipote.	C'est un coureur de jupons. (Notez que cette même expression peut aussi simplement vouloir dire, sur un ton plaisant, « sortir » ou « errer sans but précis », comme dans « T'é t'encore allé courir la galipote ? »)
Çé juss une guêïme qui joue avec twé.	Ce n'est qu'un jeu pour lui.
À l'arrête pâs d'swîtcher d'tchomme.	Elle change constamment de petit ami.

LE TUTOIEMENT

Dans la plupart des milieux au Québec, les relations sont souvent plus informelles et décontractées qu'en Europe. Ne soyez donc pas choqué si les Québécois s'adressent à vous en utilisant le « tu », le vouvoiement étant surtout employé ici par égard à l'âge de la personne à qui l'on s'adresse.

VIE PROFESSIONNELLE

application	demande d'emploi
barbier	coiffeur pour hommes
boss	patron/supérieur
briqueleur	briqueteur/maçon
cédule	horaire
cellulaire/cell (m)	téléphone portable
châroèyer	transporter
chienne	blouse (de laboratoire/de médecin, etc.)
chiffre [shift]	quart de travail
clairer [to clear]	renvoyer/éliminer
classeur	armoire à dossiers
comptable agréé (C.A.)	expert-comptable
contracteur	entrepreneur
dactylo (m/f)	machine à écrire
docteur	médecin
efface (f)	gomme à effacer
en charge	responsable
flopper	rater
foreman	contremaître
foxer	« sécher » les cours/ne pas aller travailler intentionnellement
gô'ler [to goal]	se dépêcher/s'activer
kicker [to kick] dwâor	mettre à la porte avec perte et fracas
minutes d'une assemblée	procès-verbal

occupation	profession/métier
opérer	fonctionner/agir
ôvœrrtâîme [overtime]	heures supplémentaires
patenteux	bricoleur ingénieux
pédaler	aller vite/être rapide
pogner	accrocher/avoir du succès
position	poste/emploi/situation
professionnel	membre d'une profession libérale
roche [rush]	pression/urgence
rodé	entraîné/préparé/pleinement fonctionnel
ronner [to run]	diriger
sarrau	blouse (de laboratoire/de médecin, etc.)
shoppe [shop]	usine
spî'tch [speech]	laïus
stèdé [steady]	stable
suite 217	bureau 217
surtemps	heures supplémentaires
toffer [to tough]	durer/persister/tenir
vidangeur	éboueur
Quelle est votre occupation ?	Quel/Quelle est votre métier/profession ?
T'âs-tu une bonne djob/un bonne position ?	As-tu un bon emploi/un bon poste ?
La personne en charge.	Le/La responsable.
Y m'ont faite remplir une application.	Ils m'ont fait remplir un formulaire de demande d'emploi.

J'ai faite application à' banque.	J'ai postulé un emploi à la banque.
À l'â complètement floppé son examen.	Elle a complètement raté son examen.
S'enfarger dins fleurs du tapis.	Se mettre les pieds dans les plats./Se perdre en détails confus et inutiles.
Y trouve câ pâs mal toffe.	Il trouve ça plutôt difficile/exigeant.
Y'ont pas toffé deux mois.	Ils n'ont pas tenu deux mois.
J'me su faite clairer.	J'ai été remercié/renvoyé.
J'ai réussi à clairer toutes mes dettes.	J'ai réussi à liquider toutes mes dettes.
Cé quelqu'un d'stèdé.	C'est une personne stable.
Ç't'un professionnel.	Il est membre d'une profession libérale.

MAIS

Y'é professionnel.	Il a le sens du travail bien fait./Il agit selon les règles de l'art.
Cé lui qui ronne la place.	C'est lui qui dirige, ici.
Ch'te dzi qu'y pédale !	Il travaille avec une grande rapidité./ On dira aussi « Ç't'un p'tsi vite ! »
À travaille dans' une shoppe.	Elle travaille dans une usine.
J'lé trouve pâs mal bein rodés.	Je les trouve très bien préparés/ entraînés./Je constate que les opérations se déroulent très rondement.
Ça opère !/Ça y vâ par là !/Ça roule en grand !	Ça fonctionne de manière efficace./ Ça tourne rondement./Les gens se donnent à plein.
On é tout le temps dans l'roche [rush].	Nous travaillons toujours sous pression.
On é sur un roche.	Nous avons une échéance très serrée.
Ch'sans qu'ça vâ pogner, ç't'affaire-là.	Je sens que ce produit va avoir du succès auprès du public.

FAMILLE

flo	enfant
gârs	fils
matante	tante
môman	maman
mononcle	oncle
pôpa	papa
trâlée	bande/ribambelle
Comment vont tes flos ?	Comment vont tes enfants ?
Ch't'allé chez mon mononc' pi ma matante.	Je suis allé chez mon oncle et ma tante.
Y t'ont une méchante trâlée d'enfants.	Ils ont vraiment beaucoup d'enfants. (« Trâlée » s'emploie aussi au figuré pour désigner tout regroupement plus ou moins important de personnes ou d'objets.)

SENSATIONS, ÉMOTIONS ET ÉTATS D'ÂME

Avwêr des bébittes.	Être quelque peu névrosé. Avoir des problèmes personnels à résoudre.
Avwêr la chienne.	Avoir peur./Ne pas avoir le cran de faire quelque chose.
MAIS	
Avwêr d'l'air d'la chienne à Jâcques.	Être mal habillé/coiffé/maquillé. Avoir l'air fatigué/abattu/déprimé.
Avwêr d'la misère.	En arracher.

Avwèr d'la misère à toffer à' ronne [run].	Avoir du mal à tenir le coup.
Avwèr le motton.	Être triste/Avoir la gorge serrée.
Se questionner.	S'interroger.
Avwèr son troc [truck]/son voyage./En avwèr plein l'cass (casque).	En avoir assez/par-dessus la tête.
Être choqué./Se choquer.	Être fâché./Se fâcher.
Capoter./Capoter bein raide.	S'énerver, paniquer, perdre la tête.
Être tout à l'envers.	Être complètement retourné/bouleversé.
Être débiné/pas mal débiné.	Être plus ou moins décontenancé.
Être désappointé/pas mal désappointé.	Être plus ou moins déçu.
Être flagadou.	Être raplapla.
Cogner des clous.	Tomber de fatigue.
Être roffe èn' toffe [rough and tough].	Jouer les durs à cuire.
Être sa' bomme/pas mal sa' bomme [bum].	Être plus ou moins fatigué.
Être sécure/insécure.	Se sentir en sécurité./Ne pas se sentir en sécurité.(« Sécure » s'emploie aussi pour dire « sûr » ou « sécuritaire ».)
Tripper [to trip].	S'amuser.
Ça trippe-tu ?	On s'amuse ?
Ça trippe fort !	On s'amuse follement !
Être sur un trip./Être parti sur un trip.	S'acharner à poursuivre un objectif, souvent peu réaliste ou carrément futile, de façon plus ou moins obsessive.

Badtripper.	Paniquer./Souffrir./Être dans tous ses états.
Être tanné/pâs mal tanné/tanné au boutte.	Selon le contexte et l'emphase, peut vouloir dire (à divers degrés) fatigué, las, désabusé, déprimé, incapable de supporter plus longtemps, ne plus pouvoir continuer comme ça...
Faire la baboune.	Bouder.
Être bête./Avoir l'air bête.	Être désagréable./Avoir l'air fâché.
Faire le saut/Djom'per [to jump]/Stepper [to step].	Sursauter.
Filer doux.	Se montrer aussi docile et discret que possible.
Avwêr le caquet bâs.	Avoir la mine basse.
Manger ses bâs.	Ronger son frein./Être mal à l'aise./Regretter amèrement./Être dans tous ses états.
J'en peux pu.	Je n'en peux plus.
Rocher [to rush].	Éprouver des difficultés./Passer un mauvais moment.
Virer su'l top.	Perdre la tête.

TRAITS DE CARACTÈRE, COMPORTEMENTS ET ATTITUDES

accoté	accoudé/appuyé
amanché	habillé
baveux	taquin/méprisable
bête	désagréable
bla'ster [to blast]	engueuler

boulchiter [to bullshit]	déconner/dire des sornettes
bomme [bum]	voyou
capoté	original/fantaisiste/téméraire
cave	idiot/stupide
croche	malhonnête
éfouéré	avachi
expert	habile
feluette	gringalet
fin/fine	gentil/gentille
frachié	orgueilleux/prétentieux
gougoune	niais/idiot
grand djack [Jack]	homme de grande taille
hèvé [heavy]	dur/qui en impose
nœrrd [nerd]	abruti/gringalet/intellectuel
niaiseux/nono/tata/toton/épais	imbécile/abruti/niais
ostineux	qui aime à s'obstiner, à contredire, à disputer
pèté/sauté	original/fantaisiste/excentrique/téméraire
pèteux de broue	prétentieux
pissou	peureux/lâche
poche	malhabile/peu doué
quétaine	ringard
ratoureux	joueur de tour
robineux	clochard
roffe [rough]	dur
sans-dessein	imbécile/idiot/stupide
shâ'rrpe [sharp]	brillant/vif d'esprit

slô/slô'mô/slô'môshyœn [slow motion]	lent/au ralenti
smatte [smart]	gentil/habile/intelligent
snô'ro	coquin
stické [stuck]	accroché
strêït [straight]	strict/droit/honnête/franc/juste/loyal
tanné, tannée	las, lasse/ennuyé, ennuyée
tchî'pe [cheap]	mesquin/radin
Ti-djo connaissant	monsieur je-sais-tout
tocson	rustre/costaud
toffe [tough]	dur à cuire
twister [to twist]	déformer
twitte	stupide
vlimeux/vlimeuse	espiègle
Y'était accoté sa' table.	Il était accoudé sur la table.
Accote-twé pas su'l mur.	Ne t'appuie pas contre le mur.
Avwêr du front (tout l'tour de la tête).	Avoir du cran (à revendre)./Ne (vraiment) pas avoir froid aux yeux./Être (on ne peut plus) malpoli/impertinent/audacieux.
È pâs bein fine avec lui.	Elle n'est pas très gentille avec lui.
Tu parles d'un frachié !	Quel prétentieux !/Que d'orgueil !
T'é don(c) bein gougoune !	Ce que tu peux être idiot !

MAIS

Tu m'as d'l'air pâs mal gougoune !	Tu me sembles être plutôt dans les vapes !
Un espèce de grand djack.	Quelqu'un de particulièrement grand (et généralement mince).

Tu parles d'un sans-dessein !	Quel imbécile !
T'é don(c) bein sans-dessein !	Ce que tu peux être idiot/stupide/nul !
T'as don(c) bein eu l'air fou !	Tu as vraiment eu l'air ridicule !
Comment s'qu'y'é t'amanché ?	Comment peut-il être aussi mal habillé ?
T'é bein baveux !	Ce que tu peux être taquin/provocateur !
Çé rien qu'un maudzi baveux !	C'est un personnage méprisable/exécrable au plus haut point.
Y te l'â blasté d'aplomb !	Il l'a sérieusement engueulé !
Y s'é faite blaster pâs rien qu'à peu près !	Il s'est fait engueuler comme pas deux.
Arrête don(c) d'boulchiter !	Cesse donc de dire n'importe quoi/de nous mener en bateau.
Y'â pâs mal de bommes dans l'boutte.	Il y a pas mal de voyous dans les environs.
Ç't'un gârs croche.	C'est quelqu'un de malhonnête.

MAIS

Y'â é' zyeux croches.	Il louche.
È t'experte dans toute.	Elle est habile en tout.
Y'arrêtent pâs d's'ostiner, ces deux-là.	Ils n'arrêtent pas de se disputer/de se tenir tête, ces deux-là.
Ça vaut pâs cher la poche.	Ça n'a vraiment que très peu de valeur.
T'é rien qu'un pèteux de broue !	Ce que tu peux être prétentieux !
T'é bein poche !	Ce que tu peux être maladroit/malhabile !/Ce que tu peux mal jouer !/Tu n'es vraiment pas doué !

MAIS

Ç'te fille-là, è complètement pètée/sautée.	Cette fille-là est on ne peut plus excentrique./Cette fille-là n'a aucune limite.

T'é don(c) bein ratoureux !	Ce que tu peux aimer jouer des tours./Tu te paies vraiment la tête des gens./Tu nous as encore eus.
Y'é pâs mal roffe avec tout le monde.	Il est plutôt dur avec tout le monde.
T'é complètement sauté/capoté !	Ce que tu peux être fou/fantaisiste/téméraire !
Y'é slô/slô'mô comme çâ s'peut pâs !	Il est on ne peut plus lent (au sens propre comme au figuré).
Y'é pâs mal smatte.	Il est plutôt gentil et serviable./Il est passablement habile de ses mains./Il fait preuve d'une certaine intelligence.

MAIS

Fa pâs ton smatte.	Ne te montre pas plus intelligent que tu ne l'es./N'essaie pas de nous impressionner.
Ç't'un méchant gorlot.	Il n'a vraiment aucun jugement.
Ch'te trouve pâs mal hèvé [heavy].	Je te trouve très dur./Je trouve que tu insistes très lourdement. /Il me semble que tu t'imposes pas mal.
Tu parles d'un drôle de moineau !	Tu parles d'un original !/Quel personnage fantaisiste/farfelu/bizarre/étrange !
Twé, mon snô'ro !	Coquin, va !
Un p'tsi snô'ro./Un moyen snô'ro./Un méchant snô'ro./Toute un snô'ro.	Indiquent différent degrés de malice et de coquinerie.
Y'é stické su son idée.	Il ne démord pas de son idée.
Avwèr des plans d'nèg (de nègre).	Avoir des idées saugrenues./Nourrir des projets farfelus.
Ch'te trouve pâs mal tchî'pe.	Je te trouve bien mesquin.

È bein strèït avec tout le monde.	Elle se montre toujours droite, juste et intègre envers tous.

MAIS

Ça s'peut pâs comment ç'qu'è strèït !	Elle est tellement stricte et rigide qu'elle en est chiante et ennuyante.
Un vra ti-djo connaissant !	Il a toujours réponse à tout, celui-là !
Un méchant tocson !	Un de ces rustres/costauds comme on en voit rarement.
Ça s'peut-tu êt' twitte de même ?	Comment peut-on être aussi stupide/simple d'esprit ?
Y leur a twisté çâ...	Il leur a raconté n'importe quoi.
Àn' n'a d'dans !	Elle a de l'énergie à revendre !
Être dins patates/dins choux/ dans le champ.	Être dans l'erreur/à côté de ses pompes.

Être magané/poqué.

Selon le contexte, peut vouloir dire :

Être fatigué, affaibli ;

Être amoché ;

Être en piteux état.

On dit aussi Se faire maganer (maltraiter/malmener).

Y'é parti su' une strètche.	Il est sur sa lancée. Rien ne peut l'arrêter.
Y'é tu quétaine, yeinqu'ein peu !	Ce qu'il peut être ringard ! (Notez que « quétaine » s'emploie aussi couramment pour qualifier toute chose ou situation ridicule, démodée ou insignifiante.)

Le lac Monroe, au parc national
du Mont-Tremblant.
© iStockphoto.com/jgu

DICTIONNAIRE
QUÉBÉCOIS → FRANÇAIS

4X4
véhicule utilitaire sport 67

A

abreuvoir
fontaine 46

accommoder
rendre service 125

accoté
accoudé, appuyé 140
en concubinage 131

accotoir
accoudoir 67

achalandé
fréquenté 46, 116

achaler
importuner 125

achigan
perche noire 92

adapteur
adaptateur 84

adon
hasard 36

adonner
tomber bien, convenir 46

affaire
chose 46

agace-pissette
enjôleuse 131

aiguisoir
taille-crayon 118

air climatisé
air conditionné 95

all-dressed
garni 108

allure, ça pas d'
cela n'a aucun sens 47

amanché
habillé 140

ambitionner
exagérer 38

antidater
postdater 80

anyway
de toute façon, quoi qu'il en soit 28

application
demande d'emploi 47, 135

arracher, en
avoir du mal, de la difficulté 47

arranger
réparer 116

assez
suffisamment, beaucoup, très 48

asteure
maintenant, de nos jours 32

atacâ
airelle des marais d'Amérique 113

atocâ
airelle des marais d'Amérique 113

attache-feuilles
trombone 118

aubaine
promotion 116

au plus sacrant
au plus vite 36

Ayoye!
Ça fait mal!
Quelle déclaration percutante! 38

B

ba bye
au revoir 27

badtripper
paniquer, souffrir, être dans tous ses états 140

bain
baignoire 101

bain tourbillon
baignoire à remous 101

balance
pèse-personne 101
solde 80

balayeuse
aspirateur 104

balles
testicules 54

baloune
ballon 91
bulle 108

banc
tabouret 96

banc de neige
congère, amas de
neige 85

baptême
(juron) 42

barbier
coiffeur pour
hommes 135

barbotte
poisson-chat 92

bargainer
marchander 116

barguiner
marchander 116

barouetter
brasser, secouer 67

barre de savon
savonnette 101

barrer
verrouiller, fermer à
clé 95

bas
bas, chaussette 121
bas de nylon,
chaussettes 48

bas de la ville
centre-ville 78

basses
feux de croisement 69

bassinette
lit d'enfant 100

bataille
violente dispute 125

batailler
se battre 125

batterie
pile 119

baveux
méprisable, taquin 140

bazou
tacot 67

bébitte
insecte, moustique 92

bébitte à patates
coccinelle 92

bec
bise, baiser 131

bécosses
W.-C., latrines 38

bécyk
vélo, bicyclette 89

beigne
beignet 108

bein
bien, beaucoup, très 28

Bein wèyons don(c)!
N'exagérons rien!,
Soyons sérieux!, Cela
n'a aucun sens! 41

belua
grosse myrtille 112

beluet
grosse myrtille 112

bête
avoir l'air désagréable,
avoir l'air fâché 48
désagréable 140

bette
visage 125

beurre de pinottes
beurre d'arachide 108

beurrée
tartine 109

bibitte
insecte/moustique 92

bicycle
vélo, bicyclette 89

bidou
argent, billets,
dollars 80

bienvenue
je vous en prie, de
rien 27

bière en fût
bière pression 109

bill
addition 106
billet 80
facture 116

binne
visage 125

binnes
fèves au lard 109

bitch
garce 131

bitcher
critiquer 125

blaster
engueuler 140

blé d'Inde
maïs 109

bleuet
grosse myrtille 112

bloc
immeuble
résidentiel 95
pâté de maisons 78
tête, pâté de maisons,
rue 48

bloc appartement
immeuble
résidentiel 95

blonde
petite amie,
compagne 131

bobettes
caleçons, petites
culottes 121

boisson
spiritueux 48

boîte à malle
boîte aux lettres 82

bol
cuvette 101

bomme
voyou 141

bonjour
bonjour, au revoir 27

bordée de neige
forte chute de neige 84

**bord (su'l, prendre
le)**
camp, presque,
sur le point de,
près de, poudre
d'escampette 49

boss
patron, supérieur 135

bôte
boulon 118

boucane
fumée 128

boulchiter
déconner, dire des
sornettes 141

boulchitte
foutaise, baratin 116

bourré
rassasié 106
repu 112

bourrer à face
s'empiffrer 112

bourse
sac à main 121

boxer
caleçon boxeur 121

boyau
tuyau d'arrosage 104

brake
frein 69

brake à bras
frein à main 69

braker
freiner 69

bras de vitesse
levier de vitesse 69

brasser
secouer vivement 127

brassière
soutien-gorge 49, 121

bretter
lambiner 125

breuvage
boisson 48, 109

briqueleur
briqueteur, maçon 135

broche
agrafe 118

broche à foin
sans soin, bancal 36

brocheuse
agrafeuse 118

brosse
cuite 128

cass
chapeau, casquette 121

cass de poil
chapeau de fourrure 84

casse-croûte
snack-bar 106

câsser
rompre 131

catcher
attraper 91
comprendre 125

cave
idiot, stupide 141
sous-sol 95

cédule
horaire 135

cell
téléphone
portable 128, 135

cellulaire
téléphone
portable 128, 135

cennes
cents, centimes 80

centre dachat
centre commercial 116

chaîne
chasse d'eau 101

chaise berçante
berceuse 95

chaloupe
barque 89

chaloupes
couvre-chaussures 121

chambre de bain
salle de bain 101

chambreur
locataire 95

champlure
robinet 101, 102

chandail
chandail, t-shirt 121

change
monnaie 80

char
voiture 67

charcoal
charbon de bois 111

charger
demander un prix 80

charges renversées
frais virés, PCV 83

chârœyer
transporter 135

charrue
chasse-neige
motorisé 85

châssis
fenêtre 95

chaudière
seau 51, 104

chaudron
grosse marmite,
casserole 102

chauffer
conduire 69

chaufferette
système de
chauffage 69

cheap
mesquin, radin 142
peu cher 117

check
regarder, vérifier 38

chevreuil
cerf de Virginie 92

chicane
dispute 125

chicaner
disputer 125

chicouté
mûre blanche,
jaune 109

chien chaud
hot-dog 109

chienne
blouse 135

**chienne à Jacques.
avoir l'air de la**
mal habillé, mal coiffé,
mal maquillé, avoir l'air
fatigué 138

chienne, avoir la
avoir peur 138

chiffre
quart de travail 135

chnolles
testicules 54

chock
amortisseur 71

chop
côtelette 111

chopper
couper 107, 111

chou-claque
chaussure de sport, revêtement de chaussure 89

ch'sé pâs
je ne sais pas 34

chu
je suis 34

chum
ami, petit ami, compagnon 132

ciboire
(juron) 42

cigare au chou
chou farci 109

cipaille
tourte à la viande et aux pommes de terre 113

cipâte
tourte à la viande et aux pommes de terre 113

cire
encaustique 63

citrouille
potiron 64

clairer
renvoyer, éliminer 135

claque, donner à'
se donner à fond, s'y mettre sérieusement 51

claques
couvre-chaussures 51, 121

classeur
armoire à dossiers 135

clavarder
chatter 131

clean
propre 104

cleaner
nettoyer 104

clip
trombone 118

club sandwich
épais sandwich servie découpé en quatre portions triangulaires 113

clutch
pédale d'embrayage 69

coat
manteau, veste, veston, coupe-vent, parka 121

coat d'habit
veston 121

cochon
gourmand, glouton 112

cogner des clous
tomber de fatigue 139

coin
angle 78

Coke
Coca-Cola 109

côloc
colocataire 95

comptable agréé
expert-comptable 135

condo
appartement en copropriété 95

condom
préservatif 59, 64, 131

condominium
appartement en copropriété 95

congestion
embouteillage 67

contracteur
entrepreneur 135

contravention
procès-verbal 64

cooler
glacière 89

coquerelle
blatte, cafard 63
cafard, blatte 95

coqueron
endroit exigu 37
réduit, placard, toute petite pièce 95

corduroi
velours côtelé 121

corn starch
fécule de maïs 109

cossin
babiole, bibelot 37

costade
crème-dessert 109

costarde
crème-dessert 109

costume de bain
maillot de bain 121

coudon
puisque c'est comme ça, dis donc 28

couque (cook)
cuisinier 106

courâiller
courir les jupons 131

courâilleux
coureur de jupons 131

courir la galipote
courir les jupons 131

coutellerie
service de couverts 106

couvarte
couverture 100

couvert
couvercle 51

couverte
couverture 100

couvre-pieds
couvre-lit 100

cramper
braquer ses roues 69

crate
cageot 116

crémage
glaçage 109

crème à glace
glace 109

crème glacée
glace 109

crèmer
enduire de crème solaire 89

cretons
pâté de porc 115

criss
(juron) 43

croche
malhonnête 141
tordu, de travers 37

cruiser
draguer 132

ç'tu
est-ce, n'est-ce pas 33

cuillère à table
cuillère à soupe 106

cuillère à thé
cuillère à café 106

cute
joli, jolie, mignon, mignonne 132

Cutex
vernis à ongles 118

cygne
évier, lavabo 103

D

d'abord
dans ce cas 28
si c'est comme ça 51

dactylo
machine à écrire 51, 135

dash
tableau, planche de bord 69

date
rendez-vous galant 131

deal
affaire, aubaine 116

dealer
marchander 116

débarbouillette
serviette de toilette carrée 101

débarquer
descendre 69
descendre, se défaire, se déloger, quitter, abandonner, cesser de faire partie de 51

débarrer
déverrouiller 95

débouler
dévaler, dégringoler 40

décapant
dissolvant à vernis 118

décrisser
partir, prendre la poudre d'escampette 43

defrost
dégivreur 69

déjeuner
petit déjeuner 52, 106

dépanneur
épicerie de dépannage 116

département
rayon 116

dépense
garde-manger 103

descendre en bas
descendre 30

deuxième étage
premier étage 95

diachylon
sparadrap 64, 79

dîner
déjeuner 52, 107

discontinué
dont la production a été abandonnée 116

dispendieux
cher, coûteux 116

divan
canapé, causeuse 95

dix-huit-roues
semi-remorque 67

dix-vitesses
vélo de course 89

djammé
bloqué, immobilisé, congestionné 69

docteur
médecin 79, 135

domper
laisser tomber 131

doré
poisson d'eau douce 92

douillette
duvet, couette 100

drabe
terne, ennuyeux 39

draft
bière pression 109
coup de vent, courant d'air 85

drète, à
à droite 30

drill
perceuse 118

dull
ennuyeux, triste 128

dwâor
dehors 135

E

écarté
perdu 69

écarter
égarer, perdre 52

écartillé
écarté, écartelé 37

échapper
laisser échapper 52

écœurant
fabuleux, extraordinaire, excellent 52

écureux
écureuil 92

efface
gomme à effacer 118, 135

éfouéré
avachi 141

éfouérer
écraser 37

éfouérer (s')
s'avachir 37

embarquer
monter 53
monter (dans un véhicule) 69

emboucaner
enfumer 129

en charge
responsable 135

en d'sour
sous, en dessous 30

enfarger
faire trébucher 125

enfirwâper
embrouiller 125

engagé
occupé 83

enregistreuse
magnétophone 119

en tout cas
quoi qu'il en soit 28

en tsitsi
beaucoup 40

épais
imbécile, abruti, niais 141

épluchette de blé d'Inde
tradition aoûtienne où l'on déguste le maïs récolté 113

époussetoir
plumeau 104

ertontir
arriver à l'improviste chez quelqu'un 125

ervenger
venger 125

ervirer
tourner 71

ervoler
projeter, gicler, éclabousser, voler en éclats 40

essuie-tout
Sopalin 64

été des Indiens
retour de chaleur estivale de quelques jours au début d'octobre 85

étudiant
élève, écolier, cégépien, universitaire 53

eux autres
ils, elles 34

éventuellement
finalement 53

exhaust
échappement 69

expert
habile 141

extension
rallonge électrique 84

F

facture
addition 107

faite, être
être ivre 131

fan
ventilateur 69
ventilateur, éventail électrique 95

fanne
ventilateur 69
ventilateur, éventail électrique 95

fa que
alors, cela fait que 28

feluette
gringalet 141

fièvre des foins
rhume des foins 79

fif
gay, gai 131

fil
cordon électrique 84

filer doux
être très docile et discret 140

fille de party
fille qui aime faire la fête 131

fin
gentil 141

fin de semaine
week-end 129

fine
gentille 141

fiouse
fusible 69

fish and chips
poisson-frites 109

fish èn' tchip
poisson-frites 109

fitter
s'ajuster 121

fixatif
laque 64
laque pour les cheveux 118

flabœrrgasté
abasourdi 39

flash
idée 129

flasher
clignotant 69
clignoter 69

flasheur
clignotant 69

flat
crevaison 69

flo
enfant 138

flô'ber
dépenser 80

flocher
laisser tomber 131

flopper
rater 135

flush
à ras, au niveau, juste,
en ordre 116

flusher
tirer la chasse
d'eau 101

fly
fermeture-éclair 121

flyer
aller vite 69
héler (un taxi) 67

fonne
plaisir 129

foreman
contremaître 135

foulard
écharpe 121

foule
plein 107

fournaise
chaudière du système
de chauffage central 53
chauffage central 95

fourneau
four 103

foxer
sécher les cours, ne
pas aller travailler
intentionnellement 135

frachié
orgueilleux,
prétentieux 141

frais virés
PCV 64

frapper
happer, renverser,
heurter, emboutir 69

frette
froid 85

frosté
givré 85

frotter
nettoyer 104

fuck
merde 44

fucké
détraqué 44

fudge
fondant au
chocolat 109

fun
amusant, marrant 33
plaisir 129

G

gadelle
groseille à grappe 109

galerie
balcon 96

game
match 92
partie, match, jeu 91, 129

garde-robe
placard 96

garnotte
coup solide 91
gravier 67

garnotter
lancer avec force 91

garrocher
lancer 37

gars
fils 138

gars de party
gars qui aime faire la
fête 131

gas line
antigel pour conduit
d'essence 70

gaz
essence,
accélérateur 70

gazeline
essence 70

gédelle
groseille à grappe 109

geler
avoir froid 85

ginger ale
boisson douce au
gingembre 109

glace
glaçons 54

goal
but 91

goaler
garder les buts 91
gardien de but 91
s'activer 135

goaleur
gardien de but 91

gorgoton
gorge 37

gosser
s'amuser à travailler
le bois au couteau,
tourner autour du pot
(fig.) 39

gosses
testicules 54

gougoune
niais, idiot 141
pantoufle tricotée
maison, sandale de
plage 121

gougounes
sandales 89

grand jack
homme de grande
taille 141

gratteux
avare, économe 80

gravelle
gravier 67

gravy
sauce brune, jus de
viande 109

grilled cheese
sandwich au fromage
grillé 109

guédaille
fille facile, fille
vulgaire 131

guénille
industrie du vêtement,
torchon 54
torchon 104

guidoune
fille facile, fille
vulgaire 131

guimauve
Chamallow 64

Gyproc
placoplâtre 95

H

habit
complet 121

hautes
feux de route,
phares 70

hazards
feux de détresse 70

heavy
dur, qui en impose 141

Hide-A-Bed
canapé-lit 96

hold
mise en attente 83

hood
capot 70

hose
tuyau d'arrosage 104

huard
dollar 80

I

icid'ans
ici 30

icitte
ici 30

insécure, être
ne pas se sentir en
sécurité 139

intercom
interphone 96

intermission
entracte 129

item
article 116
article, élément,
poste, point, sujet,
question 54

J

jack
cric, vérin 69

jackpot
gros lot 41

jaquette
chemise de nuit 121

jâser
bavarder 131
bavarder, causer 54

jâsette
bavarder 54

Jet-Ski
motomarine 89

joke
blague 125

joker
faire des blagues 125

joual
cheval 92

jouaux
chevaux 92

joute
partie 91

jumper
robe-chasuble 121

jus
courant 84

K

kangourou
sweat-shirt à poche
ventrale 122

kécanne
boîte de conserve 109

ketch
verrou 96

kick
béguin, marotte 132
plaisir, satisfaction 129

kicker
mettre à la porte avec
perte et fracas 135

kit
jeu, ensemble, série,
nécessaire, bazar 116

Kodak
appareil photo 119

L

laveuse
lave-linge 104

laveuse à vaisselle
lave-vaisselle 103

lèchefrite
cocotte 103

licence
plaque
d'immatriculation 70

lime
citron vert 109

linge
vêtements 116

linge à vaisselle
torchon 104

liqueur
boisson gazeuse 48,
109

lit king
très grand lit 100

lit queen
grand lit 100

longue-distance
appel interurbain 83

lousse
trop large, lâche, mal
ajusté 122

lumière
ampoule 84
ampoule électrique 55
feu de circulation 78

M

magané
fatigué, affaibli, amoché,
en piteux état 145

Main, la
rue principale 78

mal de bloc
mal de tête 79

malle
courrier 82

maller
poster 83

**manger comme un
cochon**
manger beaucoup 112

manger, du
nourriture 109

manufacture
usine, fabrique 117

map
carte routière,
géographique 67

mappe
carte routière,
géographique 67

marche
promenade à pied 55

maringouin
moustique 92

marquer
écrire, inscrire,
noter 55

mâshmâlo
Chamallow 64
guimauve,
Chamallow 110

maskinongé
brochet géant 92

masse
beaucoup,
suffisamment 55

matante
tante 138

matcher
harmoniser 117
présenter, tenter
d'unir 132

matin, à
ce matin 32

maudit
(juron) 44

Maudite marde!
(juron) 45

médium
moyen 117

melon brodé
cantaloup 110

melon d'eau
pastèque 110

melon deau
pastèque 64

melon d'miel
melon 110

ménager
faire des économies 80

menterie
mensonge 125

merde
tant pis! 45

mess
désordre 104

Mets-en!
À qui le dis-tu! 34

mettons
disons 28

mettre
baiser 132

millage
kilométrage 70

minivan
mini-fourgonnette 67

minoune
vieux tacot, bagnole 70

minous
moutons, flocons de
poussière 104

**minutes d'une
assemblée**
procès-verbal 135

miroir
rétroviseur 70

misère
mal, difficulté 56

mitaine
mouffle 122

moffer
rater, louper 132

moineau
volant de
badminton 89

môman
maman 138

mongol
mongolien 56

mononcle
oncle 138

monter en haut
monter 30

moppe
serpillière 64, 104
vadrouille 62

motton
grumeau 110

mouche à cheval
grosse mouche
piquante 92

mouche à chevreuil
taon 92

mouiller
pleuvoir 85

moumoune
gay, gai 131

mouver
grouiller, se
grouiller 125

muffin
gâteau individuel de
forme arrondie 115

muffler
pot d'échappement 70

mwé
moi 34

mwé avec
moi aussi 34

mwé itou
moi aussi 34

mwé' si
moi aussi 34

N

napkin
serviette de table 107

navet
rutabaga 64

nerd
abruti, gringalet,
intellectuel 141

nettoyeur
pressing 64
teinturier 117

neu
neuf 117

neutre
point mort 70

niaisage
badinage, temps perdu
en futilités 125

niaiser
faire perdre son
temps 125

niaiseux
imbécile, abruti,
niais 141

noirceur
obscurité, nuit
tombée 89

nono
imbécile, abruti,
niais 141

no parking
stationnement
interdit 70

nous autres
nous 34

O

occupation
métier 136
profession, métier 56

œufs miroir
œufs sur le plat 110

offert
proposé 56

OK, d'abord
d'accord 29

one-way
sens unique 71

opérer
fonctionner, agir 136

ordinaire
normal, commun, sans
intérêt, ennuyeux,
décevant 56

orignal
élan d'Amérique 93

ostie
(juron) 44

ostineux
qui aime à s'obstiner,
à contredire, à
disputer 141

ouananiche
saumon d'eau
douce 93

ouâouâron
grenouille géante 93

oubedon
ou 37

où ç'que
où est-ce 29

overall
salopette 122

overtime
heures
supplémentaires 136

P

package deal
forfait 67, 96

pad
bloc-notes 118

pads
protège-coudes,
-épaules, -genoux,
-tibias 91

pain doré
pain perdu 64, 110

pamphlet
dépliant, brochure
publicitaire 56

pancarte
affiche, écriteau,
enseigne, plateau,
panneau-réclame 57
enseigne, affiche,
écriteau, panneau 78

pantoute
du tout 28

pantry
comptoir de
cuisine 103

papier sâblé
papier de verre 118

paqueter
empaqueter, faire ses
bagages 37

parade
défilé 57

parchaude
perchaude 93

parcomètre
parcmètre 70

pardrix
perdrix 93

par exemple
par contre 57

parker
stationner 70

party
partie, fête entre
amis 129

passé date
dont la date de
fraîcheur est échue 110

passer
prêter 57, 80, 125

patate
pomme de terre 110

patates frites
frites 110

patates pilées
pommes de terre en
purée 110

pâté chinois
mets populaire
proche du hachis
parmentier 114

patenteux
bricoleur ingénieux 136

patio
terrasse 96

pavé
revêtu 67

**payer la traite à
quelqu'un**
offrir une tournée 62

pédaler
aller vite, être
rapide 136

peinturer
peindre 38, 96

pétaque
pomme de terre 110

pèté
original, fantaisiste,
excentrique,
téméraire 141

pèté, être
être excentrique,
dépasser les bornes 57

pèteux de broue
prétentieux 141

petite fève
haricot 110

**petit poisson des
chenaux**
poulamon 93

piasse
dollar 80

piastre
dollar 80

pic-bois
pic, pivert 93

pick-up
camionnette 67

picotte
varicelle 79

picouille
canasson, rosse 93

piler
marcher sur 58

piment
poivron 110

piment vert
poivron 110

pissou
peureux, lâche 141

pitcher
lancer, jeter 38

piton
bouton 58

pitonnage
appuyer sur des
boutons ou des
touches de manière
successive 58

pitonner
appuyer sur un bouton
ou une touche 58

pitoune
jolie fille 132
jolie fille, bille de
bois 38

placoter
bavarder 132

planche, à
à fond 58

planter
tabasser, battre 125

plaster
sparadrap 64, 79

plate
ennuyeux 129
navrant, ennuyeux 33

plein
rassasié 112

plemer
peler 89

plogue
prise de courant,
fiche 84

ploguer
brancher 84

poche
malhabile, peu
doué 141

poche de thé
sachet de thé 110

poêle
cuisinière 103

pogné
pris dans la neige 85

pogner
accrocher, avoir du
succès 136
attraper, saisir,
tripoter 126
avoir du succès 132

pôle
tringle 96

poli à ongles
vernis à ongles 119

police
policier, policière 70

pool
billard américain,
snooker 129

pôpa
papa 138

poque
ecchymose 79

poqué
être fatigué, affaibli 145

porte
portière 70

porte-poussière
pelle à poussière 104

portique
hall d'entrée 58
hall d'entrée,
vestibule 96

position
emploi, poste,
situation 59
poste, emploi,
situation 136

poste
chaîne (de télé) 96

poste de police
commissariat,
gendarmerie 64

pouding au chômeur
Dessert consistant à
base de farine ou de
mie de pain 115

pouding-chômeur
Dessert consistant à
base de farine ou de
mie de pain 115

poudrerie
neige chassée par le
vent 85

pousse-pousse
poussette 119

poussette
caddie 63

poutine
frites garnies de
fromage en grains et
nappées d'une sauce
brune 114

power brake
servofrein 70

power steering
servodirection 70

pratique
séance d'entraînement 59

pratiquer
s'entraîner, s'exercer 59

prélârt
linoléum 96

premier étage
rez-de-chaussée 96

prescription
ordonnance 79

présentement
actuellement 38

préservatif
agent de conservation 59, 110

Presto
cocotte-minute 103

prette
prêt, prête 132

professionnel
membre d'une profession libérale 136

puck
palet, rondelle 91

pwèle
fourrure 84

Q

Q-Tips
coton-tiges 101, 118

quand çé
quand 32

quant' ess
quand 32

quatre-roues
motoquad 67

qu'ess
quoi 31

quessé
qu'est-ce que 31

quétaine
ringard, démodé 141

quincaillerie
droguerie 63
quincaillerie, droguerie, marchand de couleurs 118

R

râser
passer près 59

ratine
tissu-éponge 119

ratoureux
joueur de tour 141

rave
soirée tardive de musique techno 129

régulier
standard, de base 60

rejoindre
joindre 60, 83

remorqueuse
dépanneuse 70

rendu
arrivé 60

renfoncer
s'enfoncer 85

rentrer
entrer 60

Rien qu'à voir!
C'est l'évidence même! 41

right through
directement, en ligne droite 70

ril
moulinet de canne à pêche 89

robe de chambre
peignoir 100, 122

robineux
clochard 141

rochant
qui fait suer 126

roche
caillou 61
pression, urgence 136

rocher
éprouver des difficultés, passer un mauvais moment 140

rodé
entraîné, préparé, pleinement fonctionnel 136

roffe
dur 141

ronner
diriger 126, 136

roteux
hot-dog 110

rôties
pain grillé 110

rough
dur 141

rubber
caoutchouc 38

rush
pression, urgence 136

S

sâbler
poncer 64, 118

sâbleuse
ponceuse 118

sacoche
sac à main 122

sacrament
(juron) 44

sacrer son camp
partir 126

sacrer une claque
donner une claque 126

safe
coffre-fort 96

saffe
gourmand, glouton 112

salle à dîner
salle à manger 96

salon
salle de séjour 96

sans-dessein
imbécile, idiot,
stupide 141

sarrau
blouse 136

sauté
original, fantaisiste,
excentrique,
téméraire 141

sauté, être
être excentrique,
dépasser les bornes 57

sauver
économiser 61

savon
savonnette 101

scinique
montagnes russes 129

scorer
marquer un but 91

scotch tape
ruban adhésif 118

scrap
camelote 117

scraper
gratter 91

scrapper
bousiller 70

scratcher
égratigner 70

s'cuze
excuse-moi 27

s'cuzez
excusez-moi 27

Seadoo
motomarine 89

sécheuse
sèche-linge 104

sècheuse
sèche-linge 104

séchoir
sèche-cheveux 101

seconde main
d'occasion 116

secousse
durée indéterminée 38

sécure
sécurité 139

semi-finales
demi-finales 91

séraphin
avare, pingre 80
vieux pingre 61

serrer
ranger 61

set
ensemble, mobilier 96

sharp
brillant, vif d'esprit 141

shed
remise 104

shift
quart de travail 135

shifter
passer les vitesses 70

shop
usine 136

shortcake
tarte, gâteau sablé 110

shortcut
raccourci 67

shortening
graisse végétale 110

show
spectacle 129

siffleux
marmotte 93

signaler
composer 83

simonac
(juron) 44

sipaille
tourte à la viande et aux
pommes de terre 113

skider
déraper 71

Skidoo
motoneige 89

slack
trop large, lâche, mal
ajusté 122

slaïyer
glisser 71

slap shotte
lancer frappé 91

sloche
barbotine, granité 110
neige à demi fondue 85

slow
lent, au ralenti 142

slow-mo
lent, au ralenti 142

slow-motion
lent, au ralenti 142

smart
gentil, habile,
intelligent 142

smatte
gentil, habile,
intelligent 142

smoked meat
viande fumée servie sur
pain de seigle 114

snô'ro
coquin 142

soccer
football 91

soccœrr
football 91

soda à pâte
bicarbonate de
soude 110

sofa
canapé 96

sofa-lit
canapé-lit 96

soir, à
ce soir 32

soubassement
sous-sol 96

souffleuse
appareil motorisé qui
permet de projeter la
neige au loin 86

souper
dîner 52, 107

sous-marin
sandwich de forme
allongée 110

spaghatte
spaghetti 110

spaghatti
spaghetti 110

spaghetti italien
spaghetti sauce
tomate 110

sparage
ostentation,
énervement 126

spare
pneu de secours 71

spark plug
bougie d'allumage 71

spécial
plat du jour 107
solde, rabais 117

spécial du jour
plat du jour 107

speech
laïus 136

spic and span
très propre 105

spinner
patiner, tournoyer 71

split-level
maison à demi-niveaux 96

splitter
rompre 132
séparer 107

spotter
repérer 38

spray
aérosol 119

spray net
laque 64
laque pour les cheveux 119

spring
ressort 118

squeegee
raclette 105

stâler
faire du surplace 71

stand de taxis
station de taxis 67

starter
commencer, démarrer 38
démarreur 71

station wagon
voiture familiale 67

steady
stable, régulier 132

steak haché
bœuf haché 111

steering
volant 71

steppette
pas de danse 129

stické
accroché 142

sticker
autocollant 71

stie
(juron) 44

stock
marchandise 117

storage
entreposage 117

straight
hétérosexuel 132
strict, droit, honnête, franc, juste, loyal 142

strètche
distance 71

strètché
extensible, élastique 122

stuck up
puritain, réservé à outrance 132

stuff
produit 117

suce
tétine de bébé 61

sucette
suçon 61

suçon
sucette 61

sucrer le bec, se
manger des sucreries 111

sucres
période pour aller dans les cabanes à sucre et goûter le sirop d'érable 113

suisse
tamia, écureuil rayé 93

suite
bureau 136

super le fonne
vachement sympa 129

support
cintre 96

supposé
censé 38

supposément
censément 38

surprise
surprise-partie 129

surtemps
heures supplémentaires 136

switch
interrupteur 84

swîtcher
changer 132

système de son
sono, chaîne stéréo 119

T

tabarnak
(juron) 44

table dhôte
menu à prix fixe 107

taïte
serré 122

tank
réservoir à eau
chaude 96

tanker
faire le plein 71
réservoir d'essence 71

tanné
las, ennuyé,
ennuyé 142

tanné, être
fatigué, las, désabusé,
déprimé, incapable
de supporter plus
longtemps, ne plus
pouvoir continuer
comme ça 140

tapette
gay, gai 131

taraud
écrou 118

târieu
salaud 44

tarte à' farlouche
tarte garnie d'un
mélange de mélasse,
de farine et de raisins
secs 115

tarte au sucre
tarte à base de
cassonade et de crème
ou de lait 115

tata
imbécile, abruti,
niais 141

tataouinage
complication inutile 38

tataouiner
perdre (ou faire perdre)
son temps, manipuler
distraitement, tourner
en rond, badiner 38

taxes incluses
TTC (toute taxes
incluses) 64

ta yeule
ta gueule!, tais-toi! 44

t-bar
remonte-pente 89

tchèker
regarder, vérifier 38,
117

tempête de neige
chute de neige 85

té'vé
téléviseur 96

ticket
procès-verbal 64

ti-djo connaissant
monsieur je-sais-
tout 142

tight
serré 71

tip
pourboire 80

tiper
laisser un pourboire 80

tire
pneu 71

tire Sainte-Catherine
friandise à la
mélasse 114

ti'vî
téléviseur 96

toaster
grille-pain 103

toasts
pain grillé 110

tocson
rustre, costaud 142

toton
imbécile, abruti,
niais 141

tough
dur à cuire 142

tougher
durer, persister,
tenir 136

toune
air, mélodie,
chanson 129

tour
excursion 61

tourtière
tourte à la viande 115

tout drète
tout droit 30

vitte
glace 71

vlimeuse
espiègle 142

vlimeux
espiègle 142

vous autres
vous 34

vues
cinéma 129

washer
rondelle
d'étanchéité 38

windshield
pare-brise 71

wiper
essuie-glace 71

woup' élaï
oups! 41

zipper
fermeture-éclair 122

zucchini
courgette 111

W

waiter
serveur 107

waitress
serveuse 107

Z

zigonner
tourner en rond,
s'acharner sans succès,
perdre son temps en
futilités 126

DICTIONNAIRE
FRANÇAIS → QUÉBÉCOIS

A

abandonner
débarquer 52

abruti
nerd 141
niaiseux, nono, tata,
toton, épais 141

accélérateur
gaz 70

accoudé
accoté 140

accoudoir
accotoir 67

accroché
stické 142

accrocher
pogner 136

actuellement
présentement 38

adaptateur
adapteur 84

addition
bill 106
facture 107

à droite
à drète 30

aérosol
spray 119

affaibli
être magané,
poqué 145

affaire
deal 116

affiche
pancarte 57, 78

à fond
à planche 58

**agent de
conservation**
préservatif 59, 110

agir
opérer 136

agrafe
broche 118

agrafeuse
brocheuse 118

air
toune (tune) 129

air conditionné
air climatisé 95

**airelle des marais
d'Amérique**
atacà, atocà,
canneberge 113

ajuster, s'
fitter (to fit) 121

aller vite
flyer 69
pédaler 136

alors
fa que, ça fa que 28

ami
chum 132

amortisseur
chock absorber 71

ampoule
lumière 84

ampoule électrique
lumière 55

angle
coin 78

annuler
canceller 95

**antigel pour conduit
d'essence**
gas line 70

appareil photo
caméra 50, 116
Kodak 119

**appartement en
copropriété**
condo,
condominium 95

appuyé
accoté 140

à ras
flush 116

argent
bidous 80

argent comptant
cash 116

armoire à dossiers
classeur 135

arrivé
rendu 60

article
item 54, 116

aspirateur
balayeuse
(électrique) 104

attraper
catcher 91
pogner 126

aubaine
deal 116

au niveau
flush 116

au plus vite
au plus sacrant 36

au revoir
bye, ba bye, bonjour 27

autocollant
sticker 71

avachi
éfouéré 141

avare
gratteux 80

avoir du succès
pogner 132, 136

avoir froid
geler 85

B

babiole
cossin 37

badinage
niaisage 125

bagnole
minoune 70

baignoire
bain 101

baignoire à remous
bain tourbillon 101

baiser
bec 131
mettre/se mettre 132

balai à frange
vadrouille, moppe 62,
105

balcon
galerie 96

ballon
baloune (balloon) 91

bande
trâlée 138

baratin
boulchitte
(bullshit) 116

barbotine
sloche 110

barque
chaloupe 89

battre
planter 125

bavarder
jâser 131
placoter 132

bazar
kit 116

beaucoup
bein, don(c) bein 28

béguin
kick 132

beignet
beigne 108

berceuse
chaise berçante 95

beurre d'arachide
beurre de pinottes 108

bibelot
cossin 37

**bicarbonate de
soude**
soda à pâte 110

bicyclette
bécyk (bicycle) 89

bien
bein, don(c) bein 28

bière
broue 109

bière pression
bière en fût 109
draft 109

billard américain
pool 129

bille de bois
pitoune 38

billet
bill 80

bise
bec 131

blague
joke 125

blagues, faire des
joker (to joke) 125

blanchisserie
buanderie 63, 116

blatte
coquerelle 63, 95

bloc-notes
pad 118

bloqué
djammé (jammed) 69

blouse
chienne 135
sarrau 136

bœuf haché
steak haché 111

boisson
breuvage 48, 109

boisson douce au gingembre
ginger ale 109

boisson gazeuse
liqueur 109

boîte aux lettres
boîte à malle 82

boîte de conserve
canne (can),
kécanne 109

bonnet de laine
tuque 122

bougie d'allumage
spark plug 71

bouilloire
canârd 102

boulon
bolt 118

bousiller
scrapper 70

bouton
piton 58

brancher
ploguer 84

braquer ses roues
cramper 69

brasser
barouetter 67

breuvage
boisson 48

bricoleur ingénieux
patenteux 136

brillant
sharp 141

brioche
buns 109

briqueteur
briqueleur 135

brochet géant
maskinongé 92

brochure publicitaire
pamphlet 56

brûlures d'estomac
brûlements
d'estomac 79

buffet de rafraîchissement
buvette 49

bulle
baloune (balloon) 108

bureau
suite 136

but
goal 91

C

caddie
carrosse 116
poussette 63

cafard
coquerelle 63, 95

cageot
crate 116

caisse (enregistreuse)
cash 116

caleçon boxeur
boxer 121

caleçons
bobettes 121

camelote
scrap 117

caméscope
caméra 116

camion de livraison
truck 67

camionnette
pick-up 67
truck 67

canapé
divan 95

canapé-lit
Hide-A-Bed 96
sofa-lit 96

canasson
picouille 93

caniveau
canal 95

cantaloup
melon brodé,
cantaloupe 110

cantonnière
valance 97

caoutchouc
rubber 38

capot
hood 70

carreau
tuile 96

carrelage
tuile 62, 96

carte
mappe (map) 67

casquette
cass (casque) 121

casserole
chaudron 102
vaisseau 103

causeuse
divan 95

cégépien
étudiant 53

censé
supposé 38

censément
supposément 38

centre commercial
centre d'achat 116

centre-ville
bas de la ville 78

cerf de Virginie
chevreuil 92

chaîne (de télé)
canal 96

chaîne de télé
canal 95

chaîne stéréo
système de son 119

Chamallow
mâshmâlo 110
mâshmâlo,
guimauve 64

chambre à fournaise
pièce où se trouve la
chaudière 53

chandail
chandail, t-shirt 121

changer
swîtcher (to

switch) 132

chanson
toune (tune) 129

chantonner
turluter 38

chapeau
cass (casque) 121

chapeau de fourrure
cass de poil 84

chapeau de roue
cap de roue 69

charbon de bois
charcoal 111

chasse d'eau
chaîne 101

chatter
clavarder 131

chauffage
fournaise 95

chaussette
bas 121

chaussure de sport
chou-claque (shoe-
claque) 89

chemise de nuit
jaquette 121

cher
dispendieux 116

cheval
joual 92

chevaux
jouaux 92

chou farci
cigare au chou 109

chute de neige
tempête de neige 85

cinéma
vues 129

cintre
support 96

citron vert
lime 109

clignotant
flasher 69

clignoter
flasher (to flash) 69

clochard
robineux 141

Coca-Cola
Coke 109

coccinelle
bébitte à patates 92

cocotte
lèchefrite 103

cocotte-minute
Presto 103

coffre
valise 71

coffre-fort
safe 96

coiffeur pour hommes
barbier 135

colocataire
côloc 95

colonie de vacances
camp de vacances 89

commencer
starter 38

commode
bureau 100

compagne
blonde 131

compagnon
chum 132

complet
habit 121

complication inutile
tataouinage 38

composer
signaler 83

comprendre
catcher (to catch) 125

comptoir de cuisine
pantry 103

concubinage, en
accoté 131

conduire
chauffer 69

congestionné
djammé (jammed) 69

contredire, qui aime à
ostineux 141

contremaître
foreman 135

coquin
snô'ro 142

cordon électrique
fil 84

costaud
tocson 142

côtelette
chop 111

coton-tiges
Q-Tips 101, 118

couette
douillette 100

coup de vent
draft 85

couper
chopper (to chop) 107, 111

coupe-vent
coat 121

coup solide
garnotte 91

courant
jus 84

courant dair
draft 85

coureur de jupons
courâilleux 131

courgette
zucchini 111

courir les jupons
courâiller 131

courrier
malle 82

coûteux
dispendieux 116

couverts
ustensiles 103, 107

couverture
couverte, couvarte 100

couvre-chaussures
claques 51
claques, chaloupes 121

couvre-lit
couvre-pieds 100

crème-dessert
costade, costarde 109

crevaison
flat 69

cric
jack 69

critiquer
bitcher (to bitch) 125

cuillère à café
cuillère à thé 106

cuillère à soupe
cuillère à table 106

cuisinier
cook 106

cuisinière
poêle 103

cuite
brosse 128

cuite, prendre une
prendre une brosse,
virer une brosse 128

cuvette
bol, bol de toilette 101

D

dans ce cas
d'abord 28

déchets
vidanges 97

déconner
boulchiter (to
bullshit) 141

défilé
parade 57

déformer
twister (to twist) 126,
142

dégivreur
defrost 69

déjeuner
dîner 52, 107

demande d'emploi
application 135

demander un prix
charger 80

démarreur
starter 71

demi-finales
semi-finales 91

dépanneuse
remorqueuse 70
towing 71

dépenser
flô'ber 80

dépliant
pamphlet 56

déraper
skider (to skid) 71

désagréable
bête 48, 140

descendre
débarquer 51, 69
descendre en bas 30

désordre
mess 104

de toute façon
anyway 28

de travers
croche 37

déverrouiller
débarrer 95

dîner
souper 52, 107

directement
right through 70

diriger
ronner (to run) 126,
136

dis donc
cou'don(c) 28

disons
mettons 28

dispute
chicane 125

disputer
chicaner 125

**disputer, qui aime
à se**
ostineux 141

dissolvant à vernis
décapant 118

distance
strètche (stretch) 71

d'occasion
seconde main, de 116

dollar
piasse (piastre),
huard 80

draguer
cruiser (to cruise) 132

droguerie
quincaillerie 63, 118

droit
straight 142

dur
heavy 141
rough 141

dur à cuire
tough 142

durer
tougher 136

du tout
pantoute 28

duvet
douillette 100

E

éboueur
vidangeur 136

écarté
écartillé 37

écartelé
écartillé 37

ecchymose
poque 79

écervelé
mongol 56

échappement
exhaust 69

écharpe
foulard 121

écolier
étudiant 53

économe
gratteux 80

écrire
marquer 55

écriteau
pancarte 78

écrou
taraud 118

écureuil
écureux 92

écureuil rayé
suisse 93

égarer
écarter 52

égratigner
scratcher (to
scratch) 70

élan d'Amérique
orignal 93

élastique
strètché (stretchy) 122

élément
item 54

élève
étudiant 53

éliminer
clairer (to clear) 135

embouteillage
congestion 67

emboutir
frapper 69

embrouiller
enfirwâper 125

empaqueter
paqueter 37

emploi
position 136

encaustique
cire (à parquet, à
meuble) 63

en dessous
en d'sour 30

**enduire de crème
solaire**
crèmer 89

énervement
sparage 126

enfant
flo 138

enfoncer
caler 50

enfumer
emboucaner 129

engueuler
blaster (to blast) 140

fille facile
guidoune,
guédaille 131

fils
gars 138

finalement
éventuellement 53

flocons de poussière
minous 104

fonctionner
opérer 136

fondant au chocolat
fudge 109

fontaine
abreuvoir 46

football
soccer 91

forfait
package deal 67, 96

four
fourneau 103

fourgonnette
vanne 67

foutaise
boulchitte
(bullshit) 116

frais virés
charges renversées 83

franc
straight 142

frein
brake 69

frein à main
brake à bras 69

freiner
braker (to brake) 69

fréquenté
achalandé 46, 116

frites
patates frites 110

froid
frette 85

fumée
boucane 128

fusible
fuse 69

G

gai
fif, tapette, moumoune
(péj.) 131

garce
bitch 131

garde-manger
dépense 103

garder les buts
goaler (to goal) 91

gardien de but
goaleur (goaler) 91

garni
all-dressed 108

gay
fif, tapette, moumoune
(péj.) 131

gendarmerie
poste de police 64

gentil
fin 141
smatte (smart) 142

gentille
fine 141

gilet
veste 122

givré
frosté 85

glaçage
crémage 109

glace
crème glacée, crème à
glace 109
vitte, vitre 71

glacière
cooler 89

glaçons
glace 54

glisser
slaïyer (to slide) 71

glouton
saffe, cochon 112

gomme à effacer
efface 118, 135

gorge
gorgoton 37

gourmand
saffe, cochon 112

graisse végétale
shortening 110

granité
sloche 110

gratter
scraper (to scrape) 91

gravier
chemin de garnotte 67

grenouille géante
ouâouâron 93

grille-pain
toaster 103

gringalet
feluette 141
nerd 141

groseille à grappe
gadelle, gédelle 109

gros lot
jackpot 41

grouiller
mouver (to move) 125

grumeau
motton 110

guimauve
mâshmâlo 110

H

habile
expert 141
gentil, habile,
intelligent 142

habillé
amanché 140

hall d'entrée
portique 58

hall dentrée
portique 96

happer
frapper 69

haricot
petite fève 110

harmoniser
matcher (to match) 117

hasard
adon 36

héler
flyer (un taxi) 67

hétérosexuel
straight 132

**heures
supplémentaires**
overtime 136
surtemps 136

heurter
frapper 69

**homme de grande
taille**
grand jack 141

honnête
straight 142

horaire
cédule 135

hot-dog
chien chaud 109
roteux 110

I

ici
icitte, icid'ans 30

idée
flash 129

idiot
cave 141
gougoune 141
sans-dessein 141

ils, elles
eux autres 34

imbécile
niaiseux, nono, tata,
toton, épais 141
sans-dessein 141

immeuble résidentiel
bloc, bloc
appartement 95

immobilisé
djammé (jammed) 69

importuner
achaler 125

**improviste, arriver
à l'**
ertontir 125

inscrire
marquer 55

insecte
bébitte, bibitte 92

intellectuel
nerd 141

intelligent
gentil, habile,
intelligent 142

interphone
intercom 96

interrupteur
switch 84

interurbain
longue-distance 83

J

je ne sais pas
ch'sé pâs, ch'é pâs 34

je suis
chu, ch' 34

jeu
game 91, 129
kit 116

joindre
rejoindre 83

joli, jolie
cute 132

joueur de tour
ratoureux 141

jus de viande
gravy 109

juste
flush 116
straight 142

K

kilométrage
millage 70

L

lâche
pissou 141
slack, lousse 122

lainage
veste 122

laisser tomber
domper (to dump) 131

laïus
speech 136

lambiner
bretter 125

lancer
garrocher 37

lancer avec force
garnotter 91

lancer frappé
slap shotte (shot) 91

landau
carrosse 119

laque
fixatif, spray net 64

laque pour les cheveux
fixatif 118

large
slack, lousse 122

lavabo
cygne (sink) 103

lave-linge
laveuse 104

lave-vaisselle
laveuse à vaisselle 103

lent
slow, slow-mo, slow-motion 142

lesbienne
butch (péj.) 131

levier de vitesse
bras de vitesse 69

linoléum
prélârt 96

liquide
cash 80

locataire
chambreur 95

louper
moffer (to muff) 132

loyal
straight 142

M

machine à écrire
dactylo 51, 135

maçon
briqueleur 135

magnétophone
enregistreuse 119

maillot de bain
costume de bain 121

maillot de corps
camisole 121

maintenant
asteure 32

maïs
blé d'Inde 109

maison à demi-niveaux
split-level 96

mal de tête
mal de bloc 79

malhabile
poche 141

malhonnête
croche 141

maman
môman 138

manger beaucoup
manger comme un
cochon 112

manger une sucrerie
se sucrer le bec 111

manteau
coat 121

manteau de fourrure
capot d'poil 84

marchander
bargainer,
barguiner 116
dealer (to deal) 116

marchandise
stock 117

marcher sur
piler 58

marmitte
vaisseau 103

marmotte
siffleux 93

marotte
kick 132

marquer un but
scorer (to score) 91

marron
brun 36

match
game 91, 92, 129

matin, ce
à matin, en avant-
midi 32

médecin
docteur 79, 135

mélodie
toune (tune) 129

melon
melon d'miel 110

mensonge
menterie 125

menu à prix fixe
table d'hôte 107

méprisable
baveux 140

mesquin
cheap 142

métier
occupation 56, 136

mignon, mignonne
cute 132

mini-fourgonnette
minivan 67

mise en attente
hold 83

mobilier
set 96

moi
mwé 34

moi aussi
mwé itou, mwé' tou 34

mongolien
mongol 56

monnaie
change 80

monsieur je-sais-tout
ti-djo connaissant 142

montagnes russes
scinique 129

monter
embarquer 53, 69
monter en haut 30

motomarine
Seadoo, Jet-Ski 89

motoneige
Skidoo 89

motoquad
quatre-roues 67

mouffle
mitaine 122

moulinet de canne à pêche
ril (reel) 89

mousse
broue 109

moustique
bébitte, bibitte 92
maringouin 92

moutons (poussière)
minous 104

moyen
médium 117

mûre blanche/jaune
chicouté 109

N

nécessaire
kit 116

neige chassée par le vent
poudrerie 85

nettoyer
cleaner (to clean) 104
frotter 104

neuf
neu 117

niais
gougoune 141

niaiseux, nono, tata, toton, épais 141

noter
marquer 55

nourriture
du manger 109

nous
nous autres 34

O

obscurité
noirceur 89

obstiner, qui aime à s'
ostineux 141

occupé
engagé 83

œufs sur le plat
œufs miroir, au miroir 110

oncle
mononcle 138

ordonnance
prescription 79

ordures
vidanges 97

orgueilleux
frachié 141

original
capoté 141
pèté, sauté 141

ostentation
sparage 126

ou
oubedon 37

où
où ç'que 29

P

pain grillé
rôties, toasts 110

pain perdu
pain doré 64, 110

palet
puck 91

panneau-réclame
pancarte 57

pantoufle tricotée maison
gougoune 121

papa
pôpa 138

papier de verre
papier sâblé 118

parcmètre
parcomètre 70

par contre
par exemple 57

pare-brise
windshield 71

pare-chocs
bumper 69

parka
coat 121

partie
game 91, 129
joute 91
party 129

partir
sacrer son camp 126

pas de danse
steppette 129

pas du tout
pas pantoute 28

passer les vitesses
shifter [to shift] 70

passer près
râser 59

pastèque
melon d'eau 64, 110

pâté de maisons
bloc 78

pâté de porc
cretons 115

patiner
spinner (to spin) 71

patron
boss 135

PCV
charges renversées 83
frais virés 64

pédale d'embrayage
clutch 69

peignoir
robe de chambre 100,
122

peindre
peinturer 38, 96

peinture
cadre 50

peler
plemer 89

pelle à poussière
porte-poussière 104

perceuse
drill 118

perchaude
parchaude 93

perche noire
achigan 92

perdre
écarter 52

perdre son temps
niaiser 125

perdrix
pardrix 93

perdu
écarté 69

persister
toffer (to tough) 136

pèse-personne
balance 101

petit ami
chum 132

petit déjeuner
déjeuner 52, 106

petite amie
blonde 131

petites culottes
bobettes 121

peu cher
cheap 117

peu doué
poche 141

peur, avoir
avoir la chienne 138

peureux
pissou 141

phares
hautes 70

pic
pic-bois 93

pile
batterie 119

pince-étau
vise-grip 118

pingre
séraphin 80

pivert
pic-bois 93

placard
coqueron 95
garde-robe 96

placoplâtre
Gyproc 95

plaisir
fun 129
kick 129

planche de bord
dash 69

plaque
d'immatriculation
licence 70

plat du jour
spécial, spécial du
jour 107

plein
full 107

pleuvoir
mouiller 85

plumeau
époussetoir 104

pneu
tire 71

pneu de secours
spare 71

point mort
neutre 70

poisson-chat
barbotte 92

poisson d'eau douce
doré 92

poisson-frites
fish èn' tchip (fish and
chips) 109

poivron
piment, piment vert 110

policier
police 70

policière
police 70

pomme de terre
patate, pétaque 110

pommes de terre en purée
patates pilées 110

poncer
sâbler 64, 118

ponceuse
sâbleuse 118

porte, mettre à la
kicker (to kick) dehors 135

portière
porte 70

postdater
antidater 80

poste
position 136

poster
maller 83

posture
position 59

pot d'échappement
muffler 70

potiron
citrouille 64

pourboire
tip 80

poussette
carrosse 119
pousse-pousse 119

premier étage
deuxième étage 95

préparé
rodé 136

près de
bord 49

présenter
matcher (to match) 132

préservatif
condom 64, 131

presque
être su'l bord 49

pressing
nettoyeur 64

pression
rush 136

prêt
prette 132

prête
prette 132

prétentieux
frachié 141
pèteux de broue 141

prêter
passer 57, 80, 125

pris dans la neige
pogné dans' neige 85

prise de courant
plogue 84

procès-verbal
contravention, ticket 64
minutes d'une assemblée 135

produit
stuff 117

profession
occupation 56, 136

promenade
marche 55

promotion
aubaine, solde 116

proposé
offert 56

propre
clean 104

protège-coudes
pads 91

PTT
bureau de poste 64

puritain
stuck up 132

P.-V.
contravention, ticket 64

Q

quand
quand cé, quant' ess 32

quart de travail
shift 135

quitter
débarquer 52

quoi
qu'essé, qu'ess 31

quoi qu'il en soit
anyway 28

R

raccourci
shortcut 67

raclette
squeegee 105

radiateur
calorifère 95

radin
cheap 142

ralenti
slow, slow-mo, slow-motion 142

rallonge électrique
extension 84

ranger
serrer 61

rassasié
bourré 106
plein 112

rater
flopper 135
moffer (to muff) 132

rayon
département 116

réduit
coqueron 95

regarder
tchèker (to check) 38, 117

régulier
steady 132

remise
shed 104

remonte-pente
t-bar 89

remorquer
tower (to tow) 71

rendez-vous galant
date 131

rendre service
accommoder 125

renne
caribou 92

renverser
frapper 69

renvoyer
clairer (to clear) 135

réparer
arranger 116

repérer
spotter (to spot) 38

repu
bourré 112

réservé à outrance
stuck up 132

réservoir à eau chaude
tinque à eau chaude 96

réservoir d'essence
tinque à gaz 71

responsable
en charge 135

ressort
spring 118

rétroviseur
miroir 70

réveille-matin
cadran 100

revêtu
pavé 67

rez-de-chaussée
premier étage 96

rhume des foins
fièvre des foins 79

ribambelle
trâlée 138

ringard
quétaine 141

robe-chasuble
jumper 121

robinet
champlure 101, 102

rompre
câsser 131
splitter (to split) 132

rondelle
puck 91

rondelle d'étanchéité
washer 38

rosse
picouille 93

ruban adhésif
scotch tape 118

rue principale
Main (la) 78

rustre
tocson 142

rutabaga
navet 64

S

sac à main
bourse 121
sacoche 122

sachet de thé
poche de thé 110

s'activer
goaler (to goal) 135

saisir
pogner 126

salle à manger
salle à dîner 96

salle de bain
chambre de bain 101

salle de séjour
salon 96

salopette
overall 122

sandale de plage
gougoune 121

sandales
gougounes 89

sandwich au

fromage grillé
grilled cheese 109

satisfaction
kick 129

sauce brune
gravy 109

saumon d'eau douce
ouananiche 93

savonnette
savon, barre de
savon 101

séance
pratique (sport) 59

seau
chaudière 51, 104

se battre
se batâiller 125

sèche-cheveux
séchoir à cheveux 101

sèche-linge
sécheuse,
sècheuse 104

secouer
barouetter 67

se dépêcher
goaler (to goal) 135

semi-remorque
troc 67
van 67

s'empiffrer
se bourrer à' face 112

s'enfoncer
caler 50
renfoncer 85

s'enfoncer dans la neige
caler dans' neige 84

sens unique
one-way 71

s'entraîner
pratiquer 59

séparer
splitter (to split) 107

série
kit 116

serpillière
moppe 64, 104

serré
tight 71, 122

serveur
waiter 107

serveuse
waitress 107

service de couverts
coutellerie 106

serviette de table
napkin 107

serviette de toilette carrée
débarbouillette 101

servodirection
power steering 70

servofrein
power brake 70

s'exercer
pratiquer 59

situation
position 59, 136

vérin
jack 69

vernis à ongles
Cutex 118
poli à ongles 119

verrou
ketch 96

verrouiller
barrer 95

veste
coat 121
veston 122

vestibule
portique 96

veston
coat 121
coat d'habit 121

vêtement
guénille 54

vêtements
linge 116

vieux tacot
minoune 70

visage
binne, bette 125

voiture
char 67

volant
steering 71

volant de badminton
moineau de
badminton 89

vous
vous autres 34

voyou
bum 141

W

week-end
fin de semaine 129